LES SECR

LES SECRETS DU COEUR

(Secrets of the Heart)

par Khalil Gibran

Auteur du Prophète

Poèmes et méditations

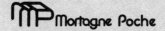 Mortagne Poche

Titre original
Secrets of the Heart

Traduction
© 1985, Éditions de Mortagne

Édition
Mortagne Poche
250, boul. Industriel, bureau 100
Boucherville (Québec)
J4B 2X4

Diffusion
Tél.: (514) 641-2387
Téléc.: (514) 655-6092

Dépôt légal
Bibliothèque nationale du Canada
Bibliothèque nationale du Québec
2e trimestre 1993

ISBN: 2-89074-535-X

1 2 3 4 5 - 93 - 97 96 95 94 93

Imprimé au Canada

SOMMAIRE

PRÉFACE

Avec le même style fascinant que *Larmes et rires* et qu'*Âmes en révolte*, Khalil Gibran nous apporte avec cette autre de ses premières oeuvres un beau et puissant message.

C'est le coeur même de l'Orient mystique qui se manifeste dans cet ouvrage et, dès les premières lignes, on y retrouve le formidable état d'esprit, l'audace électrisante et le terrible magnétisme de l'immortel Gibran.

La sagesse antique, présentée sous la forme d'une simple mais profonde philosophie de la vie, s'applique avec force et d'une manière étonnamment intemporelle aux problèmes humains du temps présent. Mais dans toutes ses préoccupations relatives aux sujets actuels, Gibran est très éloigné des écoles modernes de poésie. Son style penche plutôt vers le lyrisme victorien lorsqu'il ne se projette pas dans la direction de Dante ou de Goethe. Il est à la fois puissant et tendre, effrayant et délicat, joyeux et funèbre, simple et formidable. Et pourtant, des sujets diamétralement opposés ne présentent aucune difficulté de style pour ce maître de la simple et efficace communication de la pensée subtile. Le style de Gibran est incomparable, tant en poésie qu'en prose. Cette dernière a, chez lui, une beauté lyrique d'une magnifique simplicité, cette simplicité que Gibran recherchait sans cesse comme la caractéristique de la vraie beauté sous toutes ses formes.

Cependant, en utilisant la tendre phraséologie des psaumes, il n'en vitupère pas moins sans restriction contre l'exécrable usurpation des droits de l'homme par les tyranniques dirigeants de l'Église et de l'État. Il n'était ni surprenant ni important aux yeux de la multitude de ses adeptes qu'il ait été exilé de son pays et excommunié par l'Église en raison de ses attaques intrépides et tranchantes. La fluide beauté de ses vers, qui donne la mesure de son sens littéraire et artistique, n'édulcore pas la force de ses accusations, et son amertume ne dépare pas l'exquise délicatesse de sa poésie, toute en dentelles, dont l'effet est comparable à celui de la grande musique.

Quoique ces écrits pleins d'atmosphère se révèlent de nature autobiographique, ils montrent clairement que Gibran est un prophète à la vision pénétrante et à la compréhension objective. Ce voyant dénonce de manière inquiétante les graves et invisibles dangers qui menacent ce monde sur des voies pavées d'intrigues, de dérèglements et de mauvaise conscience. La clarté de ses perceptions ne se limite pas à dénoncer et à condamner. Son objet est sincèrement constructif et, poussé par son intense foi artistique dans l'ultime perfection, il apporte de façon frappante des méthodes logiques de guérison «des plaies ouvertes au flanc de la société». Ses avertissements ne constituent ni des croisades ni des prêches, mais ses pensées sont exprimées de façon complète, claire et puissante. Il médite sur ce qui est beau, pas sur ce qui est laid, et ses critiques sont fortement teintées d'une douce mélancolie. Tout est cependant subordonné à son magnifique pouvoir de description, plein de subtile concision métaphorique.

Du côté ecclésiastique, il fait preuve d'une brillante pénétration spirituelle et d'une détermination dédicatoire qui s'obstine et qui pénètre le moi extérieur jusqu'à le transpercer. Ses millions de lecteurs, dans des dizaines de langues, accueillent les écrits de Gibran comme s'il s'agissait de dévotions religieuses, et son excommunication n'a fait que fortifier et augmenter son audience littéraire. Ses opinions sur l'Église sont plus dénonciatrices que laudatives, mais l'amour qu'il porte à ses enseignements et la fureur que provoquent en lui ses méthodes sont clairement délimités, et ne laissent place à aucune ambiguïté, à aucun paradoxe.

Le clergé et ceux qui brûlèrent ses livres vécurent assez longtemps pour regretter amèrement leurs actes. Peu avant sa mort en 1931 - peut-être était-il devenu trop faible pour résister - Gibran se soumit aux avances que lui fit l'Église, et qu'il n'avait pas sollicitées. Elle lui demandait de revenir à elle après cette excommunication trop hâtive. En dépit du fait que «Le Maître Bien-Aimé» avait mis un frein au courroux manifeste que lui inspiraient les autorités religieuses et civiles, il se soucia peu des excuses qu'on pouvait lui faire, car il avait atteint depuis longtemps un état spirituel qui se situait bien au-dessus de l'insignifiante routine, de la loi et de la doctrine.

La doctrine de Gibran est faite de bienveillance, de fraternité, de charité, et il ne lui faut que peu de mots pour exprimer de grandes pensées. Voici ce qu'il disait de la charité:

Je chante les louanges de ma patrie, et j'aspire à revoir mon pays natal: mais s'il refusait le vivre et le couvert au voyageur dans le besoin, je changerais au fond de moi mes louanges en panégyrique et ma nostalgie en négligence.

Et aussi:

> *Souviens-toi, mon frère, que la pièce que tu laisses tomber dans la main desséchée qui se tend vers toi est le seul maillon d'or qui unit ton coeur de riche au coeur aimant de Dieu.*

Sur la fraternité:

> *L'amour est plus fort que la mort, et la mort est plus forte que la vie. Il est triste de voir les hommes se diviser entre eux.*

Et il ajoute:

> *L'humanité est l'esprit de l'Être Suprême sur la terre, et elle se tient au milieu de ruines invisibles, cachant sa nudité sous des haillons, laissant couler ses larmes sur des joues creuses et appelant ses enfants d'une voix pitoyable. Mais les enfants sont occupés à chanter un hymne. Ils s'affairent à aiguiser leurs glaives et ne peuvent entendre les pleurs de leur mère.*

Il n'est pas étonnant que le monde d'aujourd'hui, au milieu de ses difficultés, s'intéresse à Gibran. Ses pensées n'ont pas d'âge et le vrai Gibran, le Gibran essentiel continuera à vivre et à se développer à travers les siècles.

Il attaque sans réserves l'hypocrisie sous toutes ses formes. Un passage qui illustre bien sa pensée est le cuisant reproche que l'on trouve dans *Le Crucifié* qui traite du Vendredi Saint:

En ce seul jour de chaque année, les philosophes quittent leurs sombres cavernes et les penseurs leurs froides cellules, et les poètes leurs arbres imaginaires et tous se tiennent avec respect sur cette montagne silencieuse, écoutant la voix de ce jeune homme qui dit de Ses bourreaux et de Ses meurtriers: «Mon père, pardonnez-leur, car ils ne savent pas ce qu'ils font».

Mais lorsque le sombre silence étouffe les voix de la lumière, les philosophes et les penseurs et les poètes retournent dans leurs étroites crevasses et ils se couvrent comme d'un suaire de pages de parchemin qui n'ont pas de sens. Les femmes qui se préoccupent de la splendeur de la vie se soulèvent aujourd'hui de leurs coussins pour regarder la femme pleine de chagrin qui se tient devant la Croix et qui lave de ses larmes les taches de sang sur les pieds d'un Saint Homme suspendu entre Ciel et Terre. Et lorsque leurs yeux frivoles se fatiguent de la scène, elles se détournent et commencent bientôt à rire. Le torrent balaiera tout ce qui n'est pas fermement fixé avec force.

* * * * *

Gibran était jeune à l'époque de ces écrits, mais il manifestait déjà une compréhension pleine de maturité d'un sujet qui a intrigué et surpris l'homme depuis le commencement: celui de sa destinée et du pourquoi de son existence. Sa jeunesse rend plus remarquable encore son incontestable maîtrise du symbolisme et des comparaisons qui jaillissent à profusion dans «Les Secrets du Coeur». Sa manière sympathique d'aborder la perspective de la mort est également un privilège de l'âge, mais quand on connaît l'amour de Gibran pour les larmes qui «guérissent et purifient l'âme» et son affection pour ses semblables qui souffrent, on comprend mieux sa manière philosophiquement agréable de contempler la mort.

En général, la profondeur de Gibran se situe sur un plan de complète lucidité pour tous ceux qui tentent de la découvrir, et ses nombreux parcours sinueux dans le domaine du mysticisme ajoutent un argument spirituel aux préceptes de son discours terrestre. Le mélange de philosophie orientale et occidentale que l'on trouve chez lui peut occasionnellement déconcerter un esprit occidental. On a l'impression que les émotions si clairement exprimées sont trop grandes pour les mots et lui furent arrachées à regret par les contraintes de son âme. On ne peut manquer de reconnaître chez Khalil Gibran l'expression d'un besoin sincère d'améliorer le sort de l'humanité exploitée et souffrante, une impulsion qui a enflammé son coeur et son esprit depuis sa plus tendre enfance. C'est, de plus, un message né d'une pénible connaissance de l'inhumanité de l'homme envers l'homme, et du poignant souvenir de ce que ses yeux ont vu et de ce que ses oreilles ont entendu au cours de son attentive observation de la perpétuelle tragédie humaine.

Gibran dirige ces enseignements avec vigueur vers le coeur qu'ils persistent à agiter jusqu'à l'accord complet. Comme l'immortelle musique de Beethoven dont le compositeur disait: «elle est née du coeur, et elle pénétrera le coeur», ce Sage libanais, par sa riche sincérité, atteint les plus profonds recoins de notre conscience émotionnelle et spirituelle.

MARTIN L. WOLF
NEW-YORK CITY, 1947

LA TEMPÊTE

Youssif El Fakhri avait trente ans lorsqu'il se retira de la société et partit vivre dans un ermitage isolé aux environs de la vallée de Kadisha dans le Nord Liban. Les habitants des villages avoisinants entendirent plusieurs récits à propos de Youssif. Selon certains d'entre eux, il appartenait à une famille riche et noble, et il avait aimé une femme qui l'avait trahi et qui l'avait ainsi poussé à mener une vie solitaire, alors que selon d'autres, c'était un poète qui avait déserté la ville trop bruyante et qui s'était retiré en cet endroit pour rassembler ses pensées et donner une forme à son inspiration. La plupart affirmaient avec certitude qu'il s'agissait d'un mystique qui se satisfaisait d'une vie spirituelle, mais plusieurs personnes prétendaient qu'il était fou.

Quant à moi, je n'ai pu tirer aucune conclusion à son propos car je savais que son coeur cachait un profond secret dont je n'attendais pas la révélation d'une simple spéculation. J'avais longtemps espéré trouver l'occasion de rencontrer cet homme étrange. J'avais tenté de diverses manières de gagner son amitié afin d'étudier sa réalité et d'apprendre son histoire en tâchant de connaître le but de sa vie, mais mes efforts avaient été vains. Lorsque je le rencontrai pour la première fois, il se promenait dans la forêt des Cèdres Sacrés du Liban, et je le saluai avec les mots les plus choisis, mais il ne répondit à mon salut qu'en hochant la tête et en s'éloignant.

Une autre fois, je le trouvai debout au milieu d'un petit vignoble près d'un monastère, et une fois de plus, je m'approchai de lui et le saluai en disant: «Les villageois disent que ce monastère a été bâti par un groupe de Syriaques au XIVème siècle. Connaissez-vous quelque chose de cette histoire?» Il me répondit avec froideur: «J'ignore qui a construit ce monastère, et je ne me soucie pas de le savoir.» Puis il me tourna le dos et ajouta: «Pourquoi ne le demandez-vous pas à vos grands-parents qui sont plus âgés que moi, et qui connaissent mieux que moi l'histoire de ces vallées.» Comprenant aussitôt mon échec, je le quittai.

Ainsi, deux ans s'écoulèrent, et la bizarre existence de cet homme étrange oppressa mon esprit et troubla mes rêves.

2ÈME PARTIE

Un jour d'automne, alors que je parcourais les collines et les monticules proches de l'ermitage de Youssif El Fakhri, je fus soudain pris dans un vent violent et des pluies torrentielles, et la tempête me ballotta de part et d'autre comme un bateau dont le gouvernail a été brisé et dont les mâts ont été emportés par un coup de vent dans une mer démontée. Je dirigeai mes pas avec difficulté vers la demeure de Youssif en me disant: «Voici une occasion que j'ai longtemps cherchée. La tempête

me servira d'excuse pour pénétrer chez lui tandis que
mes vêtements mouillés seront une bonne raison pour
m'attarder.»

J'étais dans un triste état lorsque j'atteignis
l'ermitage, et quand je frappai à la porte, ce fut
l'homme que j'avais désiré voir qui l'ouvrit. Il tenait
dans la main un oiseau mourant dont la tête avait été
blessée et les ailes brisées. Je le saluai en disant: «Je vous
prie de me pardonner cette intrusion importune. La
tempête qui fait rage m'a surpris alors que j'étais loin de
chez moi.» Il fronça les sourcils et répondit: «Il existe,
dans cette étendue sauvage, de nombreuses grottes où
vous auriez pu chercher refuge.» Néanmoins, il ne ferma pas la porte, et mon coeur se mit à battre plus vite
car la réalisation de mon plus cher désir était à ma
portée. Il commença par toucher doucement la tête de
l'oiseau, avec le plus grand soin et le plus vif intérêt,
manifestant ainsi une qualité chère à mon coeur. Je fus
surpris des deux caractéristiques opposées que je
découvrais en cet homme: la bienveillance et la cruauté
tout à la fois. Nous prîmes conscience d'un silence plein
de tension. Il regrettait ma présence, je désirais rester.

Il parut deviner ma pensée, car il leva les yeux et dit:
«La tempête est purifiante et refuse de se nourrir de
viande avariée. Pourquoi cherchez-vous à lui échapper?» Je répondis avec une pointe d'humour: «La
tempête ne recherche peut-être pas ce qui est salé ou
aigre, mais elle a tendance à transir et à amollir toutes
choses, et elle serait certainement heureuse de me
dévorer si elle me reprenait dans ses griffes.» Il répondit
sur un ton sévère: «En vous avalant, la tempête vous
aurait fait un grand honneur dont vous n'êtes pas
digne.» Je marquai mon accord: «Oui, monsieur, j'ai
fui la tempête pour ne pas recevoir un honneur que je ne
méritais pas.» Il détourna le visage en s'efforçant de

réfréner son sourire, puis il me montra d'un geste un banc de bois près de l'âtre, et m'invita à me reposer et à faire sécher mes vêtements. Je pus à peine contrôler mon exaltation.

Je le remerciai et m'assis tandis qu'il prenait place en face de moi sur un banc taillé dans le roc. Il se mit à plonger le bout des doigts dans une jarre de terre contenant une sorte d'huile, et il l'appliqua doucement sur la tête et sur les ailes de l'oiseau. Sans lever les yeux, il dit: «Les vents violents ont fait tomber cet oiseau sur les rochers, entre la Vie et la Mort». Je répliquai, pour répondre à sa comparaison: «Et les vents violents m'ont poussé, désemparé, jusqu'à votre porte, juste à temps pour m'éviter de me blesser la tête ou de me briser les ailes.»

Il me regarda d'un air sérieux et dit: «Je voudrais que l'homme manifeste l'instinct de l'oiseau et que la tempête brise les ailes des gens. Car l'homme penche vers la peur et la lâcheté et quand il sent la tempête se réveiller, il rampe dans les crevasses et dans les grottes de la terre pour se cacher.»

Mon but était de lui faire raconter l'histoire de l'exil qu'il s'imposait et je l'y incitai: «Oui, les oiseaux possèdent un honneur et un courage qui font défaut à l'homme... L'homme vit à l'ombre des lois et des coutumes qu'il s'est façonnées, mais les oiseaux vivent selon la même et libre Loi Éternelle qui permet à la Terre de poursuivre sa puissante route autour du soleil.» Ses yeux et son regard s'éclairèrent comme s'il venait de découvrir en moi un disciple compréhensif, et il s'exclama: «C'est parfait! Si vous ajoutez foi à vos propres paroles, vous devriez quitter la civilisation, ses lois et ses traditions corrompues, et vivre comme les oiseaux dans un lieu où rien n'existe que la loi magnifique du ciel et de la terre».

«Croire est une belle chose, mais mettre sa croyance à exécution est une épreuve de force. Nombreux sont ceux qui s'expriment comme le grondement de la mer, mais leurs vies sont stagnantes et sans profondeur comme les marais nauséabonds. Nombreux sont ceux qui lèvent la tête par dessus le sommet des montagnes, mais leur esprit demeure assoupi dans l'obscurité des cavernes.» Il se leva de son siège en tremblant et alla déposer l'oiseau sur un linge plié près de la fenêtre.

Il déposa un fagot de bois mort sur le feu et dit: «Enlevez vos sandales et réchauffez-vous les pieds, car l'humidité est dangereuse pour la santé de l'homme. Séchez bien vos vêtements et mettez-vous à l'aise.»

L'hospitalité persistante de Youssif entretint mes espoirs. Je m'approchai du feu, et la vapeur sortit de mon vêtement mouillé. Tandis qu'il se tenait à la porte, regardant le ciel gris, je cherchai rapidement dans mon esprit à découvrir une brèche par où pénétrer dans ses pensées intimes. Je demandai innocemment: «Y a-t-il longtemps que vous êtes venu ici?»

Sans me regarder, il répondit calmement: «Je suis venu ici quand la terre était informe et vide; l'obscurité s'étendait sur l'entrée des profondeurs. Et l'Esprit de Dieu se déplaçait à la surface des eaux.» Ces mots me stupéfièrent. Dans un effort pour reprendre mes esprits choqués et ébranlés, je me dis: «Cet homme est fantastique! Et que la voie qui mène à sa réalité est ardue! Mais je l'attaquerai prudemment, lentement, patiemment, jusqu'à ce que sa réticence se change en communication et sa bizarrerie en compréhension.»

3ÈME PARTIE

La nuit étendit son manteau sombre sur ces vallées. La tempête poussait des hurlements étourdissants et la pluie s'intensifiait. Je me mis à imaginer que le Déluge

Biblique recommençait, qu'il allait détruire toute vie et laver la terre de Dieu de la souillure humaine.

Il me sembla que la révolte des éléments avait apporté au coeur de Youssif cette tranquillité que l'on trouve souvent en réaction contre les humeurs excessives et qui transforme la solitude en sociabilité. Il alluma deux chandelles, puis il plaça devant moi une jarre de vin et un grand plateau garni de pain, de fromage, d'olives, de miel et de quelques fruits secs. Puis il s'assit près de moi et, s'excusant de la faible quantité de nourriture - mais non de sa frugalité -, il m'invita à me joindre à lui.

Nous partageâmes le repas dans un silence plein de compréhension mutuelle, écoutant gémir le vent et battre la pluie. En même temps, je contemplais son visage et j'essayais d'y découvrir ses secrets, réfléchissant aux mobiles qui avaient pu le pousser à mener cette existence insolite. Ayant terminé, il prit sur le feu une bouilloire de cuivre et versa dans deux tasses un café à l'arôme le plus pur. Puis il ouvrit une petite boîte et m'offrit une cigarette en m'appelant «frère». Tout en buvant mon café, j'en pris une, n'en croyant pas ce que voyaient mes yeux. Il me regarda en souriant et, après avoir tiré une longue bouffée de sa cigarette et bu une gorgée de café, il dit: «Vous êtes en train de vous demander ce qui signifie l'existence en ce lieu de vin, de tabac et de café, et vous vous étonnez sans doute de ma nourriture et de mon confort. Votre curiosité se justifie à tous les égards, car vous êtes l'une de ces nombreuses personnes qui croient que s'éloigner des gens consiste à s'éloigner de la vie et qu'il faut dès lors s'abstenir de toutes ses joies.» Je m'empressai d'approuver: «Oui, les Sages disent que celui qui quitte le monde pour n'adorer que Dieu doit abandonner derrière lui toute la joie et toute la plénitude de l'existence, et se contenter des simples produits créés par Dieu seul en vivant de plantes et d'eau fraîche.»

Après un silence lourd de réflexion, il murmura: «Je pourrais avoir adoré Dieu lorsque je vivais au milieu de ses Créatures, car l'adoration ne requiert pas la solitude. Je n'ai pas quitté les gens pour trouver Dieu, car je l'ai toujours vu dans la demeure de mes père et mère. J'ai quitté les gens parce que leur nature était en conflit avec la mienne, et que leurs rêves ne concordaient pas avec les miens... J'ai quitté l'Homme parce que j'ai découvert que la roue de mon âme tournait dans un sens et qu'elle heurtait durement les roues des autres âmes qui tournaient dans l'autre sens. J'ai quitté la civilisation parce que j'ai découvert qu'elle était un vieil arbre corrompu, fort et terrible, dont les racines sont emprisonnées dans l'obscurité de la terre et dont les branches montent au-delà des nuages. Mais ses fleurs sont des fleurs d'avidité, de mal et de crime, et son fruit est un fruit de malheur, de misère et de crainte. Les Croisés ont tenté d'y introduire le bien et de changer sa nature, mais ils n'ont pu y réussir. Ils sont morts déçus, persécutés et déchirés.»

Youssif se pencha vers le côté de l'âtre comme s'il attendait de connaître l'impression qu'avaient faites ses paroles dans mon coeur. Mais je préférai demeurer un simple auditeur, et il poursuivit: «Non, je n'ai pas recherché la solitude pour prier ni pour mener une vie d'ermite...car la prière, qui est la chanson du coeur, atteint Dieu même lorsqu'elle se mêle aux cris et aux hurlements de milliers de voix. Vivre la vie d'un reclus, c'est se torturer le corps et l'âme et étouffer en soi ses inclinations. Ce genre d'existence me répugne, car Dieu a fait de nos corps les temples de nos esprits, et notre mission est de mériter et d'entretenir la confiance que Dieu a mise en nous.»

«Non, mon frère, je n'ai pas recherché la solitude pour des motifs religieux, mais seulement pour fuir le peuple et ses lois, ses enseignements et ses traditions, ses idées, ses cris et ses gémissements.»

«J'ai recherché la solitude pour éviter de voir les visages des hommes qui s'achètent et qui se vendent pour le même prix, plus bas que ce qu'ils valent matériellement et spirituellement.»

«J'ai recherché la solitude pour ne pas rencontrer les femmes qui marchent d'un pas altier, avec un millier de sourires sur leurs lèvres, alors qu'il n'existe qu'un seul but dans la profondeur de leurs milliers de coeurs.»

«J'ai recherché la solitude pour me cacher de ces individus satisfaits d'eux-mêmes qui voient dans leurs rêves le spectre de la connaissance et qui croient qu'ils ont atteint leur but.»

«J'ai fui la société pour éviter ceux qui ne voient à leur réveil que le fantôme de la vérité et qui clament à la face du monde qu'ils en ont complètement acquis l'essence.»

«J'ai déserté le monde et j'ai recherché la solitude car j'en avais assez de me montrer courtois envers ces multitudes qui croient que l'humilité est une sorte de faiblesse, la bienveillance une sorte de lâcheté et l'admiration des grands une forme de puissance.»

«J'ai recherché la solitude parce que mon âme était lasse d'être mêlée à ceux qui croient vraiment que le soleil, la lune et les étoiles ne se lèvent qu'au-dessus de leurs coffres et ne se couchent que dans leurs jardins.»

«J'ai fui les chercheurs de prébendes qui brisent le destin terrestre des gens tout en leur jetant aux yeux de la poudre d'or et en emplissant leurs oreilles de propos sans signification.»

«J'ai quitté les ministres du culte qui ne vivent pas en conformité avec le contenu de leurs sermons et qui demandent aux gens ce qu'ils n'exigent pas d'eux-mêmes.»

«J'ai recherché la solitude parce que, jamais, je n'ai obtenu de gentillesse d'un être humain sans avoir à en payer pleinement le prix avec mon coeur.»

«J'ai recherché la solitude parce que je hais la grande et terrible institution que l'on appelle civilisation - cette monstruosité symétrique érigée sur la perpétuelle misère du genre humain.»

«J'ai recherché la solitude parce que l'on trouve en elle la pleine vie de l'esprit et du coeur et du corps. J'ai découvert les prairies infinies sur lesquelles repose la lumière du soleil, d'où les fleurs lancent leurs parfums dans l'espace et où les fleuves tracent en chantant leur route vers la mer. J'ai découvert les montagnes où j'ai trouvé le frais éveil du printemps, l'appel plein de couleurs de l'été, les riches chants de l'automne et le superbe mystère de l'hiver. Je suis venu dans ce coin éloigné du domaine de Dieu car j'avais l'ardent désir de connaître les secrets de l'Univers et de m'approcher tout près du trône du Seigneur.»

* * * * *

Youssif respira profondément comme s'il venait de se débarrasser d'un lourd fardeau. Ses yeux lançaient d'étranges et magiques éclairs, et sur son visage illuminé apparaissaient des marques de volonté, de fierté et de satisfaction.

Quelques minutes passèrent. Je le regardais tranquillement et je réfléchissais à la manière dont il m'avait dévoilé ce qui m'était caché. Je m'adressai alors à lui en disant: «La plupart des vérités que vous avez énoncées sont indubitablement exactes, mais en même temps, votre diagnostic de la maladie de la société prouve que vous êtes un bon docteur. Je crois que la société malade a un terrible besoin d'un médecin tel que vous pour la guérir ou pour la tuer. Le monde en détresse réclame votre attention. Est-il juste ou miséricordieux de vous éloigner du patient et de lui refuser le bénéfice de votre savoir?»

Il me regarda pensivement, puis il dit avec détachement: «Depuis le commencement du monde, les médecins ont tenté de sauver les gens de leurs affections. Certains utilisaient le bistouri, d'autres des potions, mais la peste se répandait sans rémission. Je souhaite que le patient se contente de rester couché dans son lit crasseux et qu'il médite sur ses plaies incessantes. Mais non! Il tend les mains de sous ses vêtements et s'agrippe au cou de chacun de ceux qui viennent le visiter, les étouffant l'un après l'autre jusqu'à la mort. Quelle ironie! Le méchant malade tue le docteur puis il ferme les yeux et se dit en lui-même: «C'était un grand médecin!» Non, mon frère, personne sur cette terre ne peut rendre service à l'humanité. Le semeur, si sage et si habile qu'il soit, ne peut faire germer le champ pendant l'hiver.»

Et je rétorquai: «L'Hiver des gens passera, puis viendra le superbe Printemps. Les fleurs vont certainement éclore dans les champs et les ruisseaux recommenceront à sautiller dans les vallées.»

Il fronça les sourcils et dit d'un ton amer: «Hélas! Dieu a-t-il divisé la vie de l'Homme - qui est toute la création - en saisons comme celles de l'année? Est-il une seule tribu d'humains, vivant maintenant dans la vérité et dans l'esprit de Dieu, qui souhaiterait reparaître à la surface de cette terre? Le temps viendra-t-il jamais où l'homme se fixera et demeurera à la droite de la Vie, trouvant son bonheur dans la brillante lumière du jour et dans le paisible silence de la nuit? Ce rêve peut-il devenir réalité? Pourra-t-il se réaliser quand la terre aura été couverte de chair humaine et arrosée du sang de l'homme?»

Youssif se leva et tendit la main vers le ciel comme s'il voulait montrer un monde différent, et il poursuivit: «Ce n'est là qu'un vain rêve pour le monde, mais je suis en train d'en réaliser l'accomplissement pour moi-même et ce que je découvre ici occupe chaque parcelle de mon coeur, et des vallées, et des montagnes.» Sa voix puissante s'amplifia encore: «La vérité que je découvre vraiment, ce sont les lamentations de mon moi intérieur. Je passe ma vie ici et dans le tréfonds de mon existence je ressens une soif et une faim. Je puise ma joie à déguster le pain et le vin de la Vie dans les récipients que je fabrique et que je façonne de mes propres mains. C'est pourquoi j'ai abandonné la table des autres, et je suis venu ici où je demeurerai jusqu'à la fin des Temps!»

Il continua à parcourir la pièce de long en large dans un état de grande agitation tandis que je réfléchissais à ses paroles et que je méditais sur sa description des blessures béantes de la société. Je m'aventurai à nouveau à émettre une critique pleine de délicatesse: «J'ai la plus grande considération pour votre opinion et pour vos mobiles, j'envie et je respecte votre solitude et votre isolement, mais je sais que cette misérable nation a subi une grande perte quand vous vous êtes expatrié, car elle a besoin d'un guérisseur compréhensif pour l'aider dans ses difficultés et pour éveiller son esprit.»

Il secoua lentement la tête et dit: «Cette nation est comme toutes les nations. Les gens y sont faits des mêmes éléments et ne changent que dans leur aspect extérieur, ce qui est sans importance. Le malheur de nos nations orientales est le malheur du monde, et ce que vous appelez civilisation à l'Ouest n'est qu'un spectre de plus parmi les nombreux fantômes d'une tragique supercherie.

«L'hypocrisie demeurera toujours ce qu'elle est,

même si ses ongles sont polis et coloriés. Et la Fourberie ne changera jamais, même si ses attouchements se font doux et délicats. Et la Fausseté ne se muera jamais en Vérité, même si vous l'habillez de vêtements de soie et si vous la logez dans un palais. Et l'Avidité ne deviendra pas Satisfaction, le Crime ne deviendra pas Vertu, l'Éternel Esclavage aux enseignements, aux coutumes et à l'histoire demeurera l'Esclavage, même s'il se farde le visage et déguise sa voix. L'Esclavage demeurera l'Esclavage dans toute son horrible apparence, même s'il se pare du nom de Liberté.

«Non, mon frère, l'Ouest n'est pas plus grand que l'Est, et il n'est pas moins grand. La différence entre les deux n'est pas plus importante que la différence entre le tigre et le lion. Il existe une loi juste et parfaite que j'ai découverte derrière la façade de la société: elle rend égales la misère, la prospérité et l'ignorance. Elle ne donne pas le pas à une nation sur l'autre. Elle n'opprime pas une tribu pour en enrichir une autre.»

Je m'exclamai: «Alors, la civilisation est vanité, et tout en elle est vanité!» Il répondit vivement: «Oui, la civilisation est vanité, et tout en elle est vanité…Les inventions et les découvertes ne sont qu'un amusement, et le confort du corps lorsqu'il est las et fatigué. La conquête de la distance et la victoire sur les mers ne sont qu'un fruit trompeur qui ne satisfait pas l'âme, ne nourrit pas le coeur et n'élève pas l'esprit, car elles sont éloignées de la nature. Les structures et les théories que l'homme appelle connaissance et art ne sont que des fers et des chaînes d'or qu'il porte. Et il se réjouit de leurs reflets brillants et de leur joyeux tintement. Ce sont de fortes cages dont l'homme a commencé à façonner les barreaux il y a des siècles, sans se rendre compte qu'il les construisait de l'intérieur et qu'il serait bientôt son propre prisonnier pour l'éternité. Oui, les actions de l'homme sont vaines et vains sont ses objectifs. Et tout est vanité sur cette terre.» Il s'interrompit, puis ajouta lentement: «Et parmi toutes les vanités de la vie, il n'est qu'une chose que l'esprit aime et qu'il recherche ardemment. Une seule chose, solitaire et éblouissante.»

«Qu'est-ce?» demandai-je d'une voix tremblante. Il me regarda pendant une longue minute, puis il ferma les yeux. Il se mit les mains sur la poitrine tandis que son visage s'éclairait, et il dit d'une voix sincère et sereine: «C'est un réveil de l'esprit. C'est un réveil des profondeurs de notre coeur. C'est une puissance irrésistible et magnifique qui descend soudain sur la conscience de l'homme et qui lui ouvre les yeux. Il voit alors la Vie au milieu d'une gerbe éblouissante de brillante musique, entourée d'un grand cercle de lumière au milieu duquel il se tient comme une colonne de beauté entre la terre et le firmament. C'est une flamme qui soudain fait rage dans l'esprit, qui cautérise et purifie le coeur, qui monte de la terre et qui se répand dans l'espace du ciel. C'est une bienveillance qui enveloppe le coeur de l'individu, et qui lui permet de repousser et de désapprouver tout ce qui s'y oppose, et de se révolter contre ceux qui refusent de comprendre sa signification profonde. C'est une main secrète qui a retiré le voile de mes yeux quand j'étais membre de la société parmi ma famille, mes amis et mes compatriotes.

«Souvent je me suis interrogé et je me suis dit: Quel est cet Univers, et pourquoi suis-je différent de ces gens qui me regardent, comment ai-je fait pour les connaître, où les ai-je rencontrés, et pourquoi vis-je parmi eux? Suis-je un étranger au milieu d'eux, ou sont-ils, eux, étrangers à cette terre bâtie par la Vie qui m'en a confié les clés?»

Il retomba soudain dans le silence comme s'il se souvenait de quelque chose qu'il avait aperçu depuis

longtemps et qu'il refusait de révéler. Puis il tendit les
bras en avant et murmura: «Voilà ce qui m'est arrivé il y
a quatre ans, lorsque j'ai quitté le monde et que je suis
venu en ce lieu désert pour y vivre dans l'éveil de la vie et
pour y entretenir de bonnes pensées dans un profond
silence.»

Il se dirigea vers la porte et plongea son regard dans
les profondeurs de l'obscurité comme s'il s'apprêtait à
haranguer la tempête. Mais il parla d'une voix vibrante:
«C'est un réveil de l'esprit. Celui qui le sait est incapable
de le faire comprendre avec des mots. Et celui qui
l'ignore ne songera jamais à l'irrésistible et magnifique
mystère de l'existence.»

4ÈME PARTIE

Une heure s'était écoulée, et Youssif El Fakhri arpen-
tait la pièce, s'arrêtant parfois pour observer le terrifiant ciel gris. Je demeurai silencieux, songeant à
l'étrange mélange de joie et de tristesse de sa vie
solitaire.

Plus tard dans la soirée, il s'approcha de moi et me
regarda longtemps dans les yeux comme s'il voulait ins-
crire dans sa mémoire l'image d'un homme à qui il avait
dévoilé les pénétrants secrets de son existence. J'avais
l'esprit plein d'agitation et les yeux embrumés. Il dit
calmement: «Maintenant, je vais me promener dans la
nuit, avec la tempête, pour me sentir proche de
l'expression de la Nature. C'est une pratique qui me
plaît beaucoup en automne et en hiver. Voici le vin et
voici le tabac. Je vous en prie, considérez ma maison
comme la vôtre pour cette nuit.»

Il s'enveloppa d'une houppelande noire et ajouta en
souriant: «Je vous demande de refermer la porte contre
toute intrusion d'humains lorsque vous partirez demain

matin, car j'ai l'intention de passer la journée dans la forêt des Cèdres Sacrés.» Puis il se dirigea vers la porte en s'appuyant sur un long bâton de marche, et il ajouta: «Si la tempête vous surprend encore lorsque vous serez dans les environs, n'hésitez pas à chercher refuge dans cet ermitage... J'espère que vous allez vous apprendre à aimer la tempête et non à la craindre... Bonne nuit, mon frère.»

Il ouvrit la porte et sortit, la tête haute, dans l'obscurité. Je me tins à la porte pour voir dans quelle direction il allait, mais il avait disparu à ma vue. Pendant quelques minutes, j'entendis le bruit de ses pas sur les cailloux de la vallée.

5ème Partie

Le matin vint après une nuit de profonde méditation. La tempête s'était éloignée. Le ciel était clair et on apercevait les plaines et les montagnes dans les chauds rayons du soleil. En retournant en ville, je ressentis ce réveil spirituel dont avait parlé Youssif El Fakhri, et il bouillonnait dans chaque fibre de mon être. J'avais l'impression que mon tremblement intérieur était visible. Et lorsque je me calmai, tout autour de moi était devenu beauté et perfection.

Dès que j'eus rejoint la foule bruyante, que j'entendis leurs voix et que je fus témoin de leurs actes, je m'arrêtai et me dis à moi-même: «Oui, le réveil spirituel est ce qu'il y a de plus essentiel dans la vie de l'homme, et c'est le seul but de l'existence. La civilisation, dans toutes ses formes tragiques, n'est-elle pas le motif suprême du réveil spirituel? Alors, comment pouvons-nous nier l'existence de la matière, quand cette existence même est la preuve constante de sa conformité à nos aptitudes? La présente civilisation n'a peut-être qu'un ob-

jectif fuyant, mais la loi éternelle a fourni à cet objectif
une échelle dont les marches peuvent conduire à une
libre substance.»

* * * * *

Je ne revis jamais Youssif El Fakhri car dans mes ten-
tatives de soigner les maux de la civilisation, la Vie me
chassa du Nord Liban au cours de l'automne de cette
année, et je dus vivre en exil dans un pays lointain dont
les tempêtes sont domestiques. Et vivre en ermite dans
ce pays est une sorte de glorieuse folie, car sa société,
elle aussi, est malade.

ESCLAVAGE

Les gens sont les esclaves de la Vie, et c'est l'esclavage qui remplit leurs jours de misère et de détresse, qui inonde leurs nuits de larmes et d'angoisse.

Sept mille ans ont passé depuis le jour de ma première naissance, et depuis, j'ai pu observer les esclaves de la Vie portant leurs lourdes chaînes.

J'ai parcouru l'Est et l'Ouest de la terre, et je me suis promené dans la Lumière et dans l'Ombre de la Vie. J'ai vu les processions des civilisations marcher de la lumière vers les ténèbres, et chacune était conduite vers l'enfer par des âmes humiliées, penchées sous le joug de l'esclavage. Les forts sont enchaînés et soumis, les fidèles, à genoux, idolâtrent les idoles. J'ai suivi l'Homme de Babylone au Caire et d'Aïn Dour à Bagdad, et j'ai observé sur le sable la trace de ses chaînes. J'ai entendu les tristes échos des âges inconstants répétés par les vallées et les prairies éternelles.

J'ai visité les temples et les autels, je suis entré dans les palais, je me suis assis devant des trônes. J'ai vu l'apprenti devenir l'esclave de l'artisan, l'artisan l'esclave de l'employeur, l'employeur l'esclave du soldat, le soldat l'esclave du gouverneur, le gouverneur l'esclave du roi, le roi l'esclave du prêtre et le prêtre l'esclave de l'idole… Et l'idole n'est rien d'autre que de la terre modelée par Satan et érigée sur un monticule de crânes.

Je suis entré dans les maisons des riches et j'ai visité les huttes des pauvres. J'ai vu le bébé boire le lait de l'esclavage au sein de sa mère, et les enfants apprendre la soumission avec leur alphabet.

Les jeunes filles portent des vêtements de restriction et de passivité et les épouses en larmes se couchent sur les lits de l'obéissance et des obligations légales.

J'ai accompagné le cours des âges depuis les rives du Gange jusqu'aux bords de l'Euphrate, depuis l'embouchure du Nil jusqu'aux plaines d'Assyrie, depuis les arènes d'Athènes jusqu'aux églises de Rome, depuis les taudis de Constantinople jusqu'aux palais d'Alexandrie… Et cependant, j'ai vu partout l'esclavage se mouvoir dans une glorieuse et majestueuse procession d'ignorance. J'ai vu le peuple sacrifier les jeunes gens et les jeunes filles aux pieds de l'idole qu'ils appelaient leur Dieu, verser sur ses pieds le vin et les parfums en l'appelant leur Reine, brûler de l'encens devant son image en l'appelant leur Prophète, s'agenouiller devant elle et l'adorer en l'appelant la Loi, se battre et mourir pour elle en l'appelant leur Patriotisme, se soumettre à sa volonté en l'appelant l'Ombre de Dieu sur la terre, détruire et démolir pour elle les maisons et les institutions en l'appelant leur Fraternité, lutter, voler et travailler pour elle en l'appelant leur Fortune et leur Joie, tuer pour elle en l'appelant leur Égalité.

Elle possède plusieurs noms, mais une seule réalité. Elle a de nombreuses apparences, mais elle est faite d'un seul élément. En vérité, elle est une maladie perpétuelle que chaque génération lègue à ses successeurs.

* * * * *

J'ai trouvé l'aveugle esclavage qui lie le présent des gens au passé de leurs parents, et qui les pousse à céder à leurs traditions et à leurs coutumes en introduisant l'esprit ancien dans un corps neuf.

J'ai trouvé l'esclavage muet qui associe la vie d'un homme à une femme qu'il abhorre, et qui dépose le corps de la femme dans le lit d'un mari qu'elle hait en étouffant spirituellement leurs deux existences.

J'ai trouvé l'esclavage sourd qui étouffe l'âme et le coeur et qui fait de l'homme l'écho vide d'une voix et l'ombre pitoyable d'un corps.

J'ai trouvé l'esclavage infirme qui place le cou de l'homme sous le joug d'un tyran et qui soumet les corps vigoureux et les esprits faibles aux fils de l'Avidité, afin qu'ils puissent s'en servir comme instruments de leur pouvoir.

J'ai trouvé l'esclavage affreux qui descend du spacieux firmament avec l'âme des enfants pour pénétrer dans la maison de la Misère, où le Besoin vit de l'Ignorance et où l'Humiliation côtoie le Désespoir. Les enfants grandissent en miséreux, vivent en criminels et meurent en êtres inexistants, méprisés et rejetés.

J'ai trouvé l'esclavage subtil qui donne aux choses d'autres noms que les leurs, qui appelle malice l'intelligence, vide une connaissance, faiblesse une tendresse et lâcheté un ferme refus.

J'ai trouvé l'esclavage retors, qui fait remuer avec crainte les langues des faibles et les pousse à parler contre leurs sentiments. Ils feignent alors de méditer sur leurs devoirs, mais ils deviennent aussi vides que des sacs qu'un enfant peut plier et suspendre.

J'ai trouvé l'esclavage courbé qui oblige une nation à subir les lois et les règlements d'une autre nation, et dont la courbure est plus grande de jour en jour.

J'ai trouvé l'esclavage perpétuel, qui couronne comme rois les fils des monarques et n'a aucune considération pour le mérite.

J'ai trouvé l'esclavage noir qui marque pour toujours du sceau de la honte et de la disgrâce les fils innocents des criminels.

Quand on contemple l'esclavage on découvre qu'il possède le vicieux pouvoir de se perpétuer et de se propager.

* * * * *

Lorsque je me sentis las de suivre les âges dissolus et fatigué de regarder les processions des peuples lapidés, je marchai en solitaire dans la Vallée de l'Ombre de la Vie, où le passé essaie de se cacher dans un sentiment de culpabilité et où l'âme du futur se replie et se repose trop longtemps. Là, sur les berges de la Rivière du Sang et des Larmes qui rampe comme une vipère venimeuse et se tord comme les rêves d'un criminel, j'ai entendu le murmure effrayé des fantômes des esclaves et j'ai regardé le néant.

Lorsque vint minuit et que les esprits jaillirent de leurs cachettes, je vis un spectre cadavérique et mourant tomber sur les genoux et regarder la lune. Je m'en approchai et lui demandai: «Quel est ton nom?»

«Mon nom est Liberté» répondit l'ombre blême du cadavre.

Et je demandai: «Où sont tes enfants?»

Et la Liberté, gémissante et faible, dit dans un souffle: «L'un est mort crucifié, un autre est mort fou et le troisième n'est pas encore né.»

Elle s'éloigna en chancelant et continua à parler, mais le voile de mes yeux et les cris de mon coeur m'empêchèrent de voir et d'entendre.

SATAN

Les gens considéraient le Père Samaan comme leur guide en matière spirituelle et théologique. Il faisait autorité, il constituait une profonde source d'information sur les péchés véniels et mortels et il était familiarisé avec les secrets du Paradis, du Ciel et du Purgatoire.

La mission du Père Samaan dans le Nord-Liban était de voyager d'un village à l'autre pour prêcher, pour guérir le peuple de la maladie spirituelle du péché et pour le protéger des horribles pièges de Satan. Le Révérend Père était en guerre constante avec Satan. Les fellahs honoraient et respectaient cet ecclésiastique et étaient toujours disposés à acheter ses avis et ses prières à prix d'or et d'argent. Et à chaque récolte, ils lui offraient les plus beaux fruits de leurs champs.

Un soir d'automne, alors que le Père Samaan se dirigeait vers un village solitaire à travers les vallées et les collines, il entendit un cri de douleur jaillir d'un fossé au bord de la route. Il s'arrêta et regarda en direction de la voix. Il aperçut un homme dévêtu qui était allongé sur le sol. Des flots de sang s'échappaient de profondes blessures de sa tête et de sa poitrine. Avec de pitoyables gémissements, il réclamait de l'aide. «Sauvez-moi, aidez-moi! Ayez pitié de moi, je me meurs!». Le Père Samaan regarda la victime d'un air perplexe, et il se dit en lui-même: «Cet homme doit être un voleur... Il a sans doute tenté de dévaliser des voyageurs, et il aura manqué son coup. Quelqu'un l'aura blessé, et je crains que s'il meurt, on ne m'accuse de lui avoir ôté la vie.»

Ayant ainsi soupesé la situation, il reprit la route. Sur quoi le mourant l'arrêta en criant: «Ne m'abandonnez pas! Je me meurs!» Alors le Père réfléchit à nouveau et son visage pâlit lorsqu'il comprit qu'il était en train de refuser son aide. Ses lèvres tremblèrent, mais il se parla à lui-même en disant: «C'est sûrement un de ces fous qui se promènent dans le désert. La vue de ses blessures épouvante mon coeur. Que vais-je faire? Un docteur spirituel n'est pas en mesure de soigner les blessures du corps.» Le Père Samaan avança de quelques pas. Le quasi-cadavre émit une pénible plainte qui aurait fait fondre un roc, et il gémit: «Approchez-vous! Venez, car nous avons été amis pendant longtemps... Vous êtes le Père Samaan, le Bon Berger, et je ne suis ni un voleur ni un fou... Venez, et ne me laissez pas mourir en ce lieu désert. Venez, et je vous dirai qui je suis.»

Le Père Samaan s'approcha de l'homme, s'agenouilla et le regarda. Mais il vit une étrange figure aux traits pleins de contrastes: l'intelligence avec l'astuce, la laideur et la beauté, la méchanceté et la douceur. Il se remit vivement sur ses pieds et s'exclama: «Qui êtes-vous?»

Le mourant dit d'une voix faible: «Ne me craignez pas, Père, car nous avons été de bons amis pendant longtemps. Aidez-moi à me lever, menez-moi jusqu'au plus proche ruisseau et nettoyez mes blessures avec votre linge». Et le Père demanda: «Dites-moi qui vous êtes, car je ne vous connais pas, et je ne me souviens pas de vous avoir jamais vu.»

L'homme répliqua d'une voix agonisante: «Vous connaissez mon identité. Vous m'avez vu un millier de fois, et vous parlez de moi chaque jour…Je vous suis plus cher que votre propre vie.» Et le Père répondit avec reproche: «Vous êtes un imposteur et un menteur! Un mourant se devrait de dire la vérité! De toute ma vie, je n'ai jamais vu votre affreux visage. Dites-moi qui vous êtes, ou je vous laisserai mourir baignant dans le sang qui vous échappe.» Alors le mourant se déplaça lentement et regarda l'ecclésiastique dans les yeux. Ses lèvres esquissèrent un sourire mystique et il dit, d'une voix tranquille, douce et profonde: «Je suis Satan».

En entendant ce mot effrayant, le Père Samaan poussa un terrible cri qui secoua les coins les plus éloignés de la vallée. Puis il regarda et vit que le corps du mourant, dans sa grotesque distorsion, coïncidait avec l'image de Satan figurant dans un tableau religieux accroché au mur de l'église du village. Il se mit à trembler et cria: «Dieu m'a montré votre infernale image et m'a fort justement poussé à vous haïr. Maudit soyez-vous pour l'éternité! L'agneau malade doit être détruit par le berger de peur qu'il ne contamine les autres agneaux!»

Satan répondit: «Ne vous hâtez pas, Père, et ne gaspillez pas en vains propos le temps qui fuit… Venez, et fermez rapidement mes blessures, avant que la Vie ne quitte mon corps.» Et l'ecclésiastique rétorqua: «Les mains qui offrent à Dieu le sacrifice de chaque jour ne toucheront pas un corps qui est fait des sécrétions de l'Enfer…Vous devez mourir, maudit par la langue des Âges et par les lèvres de l'Humanité, car vous êtes l'ennemi de l'Humanité, et votre but avoué est de détruire toute vertu.»

Satan se déplaça avec angoisse, se dressa sur un coude

et répondit: «Vous ne savez pas ce que vous dites, et
vous ne comprenez pas quel crime vous commettez
envers vous-même. Soyez attentif car je vais raconter
mon histoire. Aujourd'hui, je me promenais seul dans
cette vallée solitaire. Lorsque j'arrivai en ce lieu, une
troupe d'anges descendit du ciel pour m'attaquer et ils
me frappèrent sauvagement. Sans l'un d'entre eux qui
portait un glaive flamboyant à double tranchant, je les
aurais repoussés, mais je n'avais aucun pouvoir contre
cette brillante épée.» Et Satan cessa de parler pendant
un moment tandis qu'il pressait d'une main tremblante
l'une des profondes blessures de son flanc. Puis il poursuivit: «L'ange armé - je pense que c'était Michel - était
un gladiateur averti. Si je ne m'étais pas laissé tomber
sur le sol bienveillant en feignant d'avoir été abattu, il
m'aurait infligé une mort brutale.»

Levant les yeux vers le ciel, le Père cria d'une voix
triomphante: «Béni soit le nom de Michel qui a sauvé
l'Humanité d'un ennemi dépravé.»

Et Satan protesta: «Mon dédain pour l'Humanité
n'est pas plus grand que votre haine envers vous-
même... Vous bénissez Michel qui n'est jamais venu à
votre secours... Vous me maudissez à l'heure de ma
défaite quoique j'aie été et que je sois encore la source
de votre tranquillité et de votre bonheur... Vous me
refusez votre bénédiction et vous ne m'offrez pas votre
bienveillance, mais vous vivez et prospérez à l'ombre de
mon être. Vous avez fait de mon existence une excuse et
une arme pour votre carrière, et vous utilisez mon nom
pour justifier vos actes. Mon passé ne vous a-t-il pas apporté le besoin de mon présent et de mon avenir? Avez-
vous atteint votre but en amassant la richesse requise?
Avez-vous jugé qu'il était impossible d'extraire plus
d'or et d'argent de vos fidèles en brandissant mon
royaume comme une menace?

«Ne comprenez-vous pas que vous mourrez de faim si
je venais à décéder? Que ferez-vous demain si vous me
laissez mourir aujourd'hui? Quelle vocation suivrez-
vous si mon nom disparaît? Pendant des décades, vous
avez parcouru ces villages et mis les gens en garde pour
qu'ils ne tombent pas entre mes mains. Ils ont acheté
vos conseils de leurs pauvres deniers et des produits de
leurs terres. Que vous achèteront-ils demain s'ils
découvrent que leur ennemi dépravé n'existe plus?
Votre occupation mourrait avec moi, car le peuple serait
à l'abri du péché. En tant qu'ecclésiastique, ne voyez-
vous pas que seule l'existence de Satan a créé son en-
nemie l'Église? Ce vieux conflit est la main secrète qui
retire l'or et l'argent de la poche des fidèles et les dépose
pour toujours dans la bourse des prédicateurs et des
missionnaires. Comment pouvez-vous me laisser mourir
ici si vous savez que ma mort vous fera certainement
perdre votre prestige, votre église, votre maison et vos
moyens d'existence?

* * * * *

Satan demeura un moment silencieux, et son humilité
se changea en confiante indépendance. Il poursuivit:
«Père, vous êtes fier mais ignorant. Je vais vous dévoiler
l'histoire de la Foi. Vous y trouverez la vérité qui réunit
nos deux êtres et qui lie mon existence à votre conscience
elle-même.

Au cours de la première heure du commencement des
Temps, l'homme se dressa face au soleil, tendit les bras
et poussa son premier cri en disant: «Là, derrière le Ciel,
il y a un Dieu grand, aimant et bienveillant». Ensuite
l'homme tourna le dos au grand cercle de lumière et,
voyant son ombre sur le sol, il s'écria: «Dans les profondeurs de la Terre, il y a un sombre démon qui aime
la corruption».

«Et l'homme s'avança vers sa grotte en se murmurant à lui-même: «Je me trouve entre deux forces irrésistibles, l'une auprès de laquelle je dois chercher refuge, l'autre que je dois combattre.» Et les siècles s'avancèrent en procession tandis que l'homme existait entre deux puissances, l'une qu'il bénissait parce qu'elle l'exaltait, l'autre qu'il maudissait parce qu'elle l'effrayait. Mais il ne comprit jamais la signification d'une louange ou d'une malédiction. Il se trouvait entre les deux, comme un arbre entre l'été qui le fait fleurir et l'hiver qui le fait trembler.

«Lorsque l'homme vit l'aube de la civilisation, qui est la compréhension humaine, la famille naquit comme unité. Puis vinrent les tribus dans lesquelles le travail fut réparti selon les aptitudes et les inclinations. Un clan cultiva la terre, un autre bâtit les abris, d'autres tissaient les vêtements ou chassaient la nourriture. Ensuite, l'art de la prophétie fit son apparition sur la terre, et ce fut la première carrière adoptée par l'homme qui ne possédait aucun besoin ou aucune nécessité essentielle.»

Satan cessa de parler pendant quelques instants. Puis il se mit à rire, et sa joie fit trembler la vallée déserte, mais ce rire lui rappela ses blessures. Il mit la main sur son flanc car il éprouvait une vive souffrance. Mais il se ressaisit et poursuivit: «La prophétie apparut et elle se développa sur terre d'une étrange façon.

«Dans la première tribu, il y avait un homme appelé La Wiss. J'ignore quelle est l'origine de son nom. C'était un être intelligent mais extrêmement paresseux. Il détestait le travail, qu'il s'agisse de cultiver la terre, de construire des abris, de faire paître les troupeaux, d'exercer toute activité qui exigeait un mouvement ou des fatigues corporelles. Et comme en ce temps-là on ne pouvait obtenir de nourriture que par un travail ardu, La Wiss passa de nombreuses nuits l'estomac vide.

«Un soir d'été, comme les membres du clan étaient réunis autour de la hutte du chef, parlant du résultat de leur journée et attendant l'heure de se coucher, un homme sauta soudain sur ses pieds et, tendant la main vers la lune, s'écria: «Regardez le Dieu de la Nuit! Son visage est sombre, sa beauté s'est évanouie et il est devenu une pierre noire accrochée au dôme du ciel!» La multitude regarda la lune, cria d'horreur, trembla de terreur comme si les mains de l'obscurité avaient saisi leurs coeurs, car ils virent le Dieu de la Nuit se changer lentement en un disque noir, modifiant l'aspect brillant de la terre et faisant disparaître à leurs yeux, derrière un voile sombre, les collines et les vallées.

«À ce moment, La Wiss, qui avait déjà vu une éclipse auparavant et qui avait compris que la cause en était simple, fit un pas en avant pour tirer le meilleur profit de l'occasion. Il se tint au milieu de la foule, leva les mains vers le ciel, et il s'adressa à eux d'une voix forte en disant: «Agenouillez-vous et priez, car le Dieu Méchant de l'Obscurité est engagé dans une terrible lutte avec le Dieu Lumineux de la Nuit. Si le Dieu du Mal l'emporte, nous périrons tous, mais si le Dieu de la Nuit triomphe, nous demeurerons vivants... Maintenant, priez et adorez... Couvrez-vous le visage de terre... Fermez les yeux et ne levez pas la tête vers le ciel, car celui qui regarde se battre deux Dieux perdra la vue et l'esprit, et demeurera aveugle et insensé pour le reste de ses jours! Baissez la tête autant que vous le pouvez et, de tout votre coeur, encouragez le Dieu de la Nuit contre son adversaire qui est aussi votre ennemi mortel!»

«Ainsi, La Wiss continua à parler, utilisant des mots au sens caché qu'il venait d'inventer et qu'il n'avait jamais entendus. Après cette vaste duperie, comme la lune retrouvait sa gloire initiale, La Wiss éleva la voix davantage encore et dit, sur un ton impressionnant:

«Levez-vous maintenant, et regardez le Dieu de la Nuit qui a triomphé de son odieux ennemi. Il reprend sa course parmi les étoiles. Que l'on sache que ce sont vos prières qui l'ont aidé à vaincre le Démon de l'Obscurité. Il est heureux maintenant, et plus brillant que jamais.»

«La multitude se leva et regarda la lune qui brillait de tous ses rayons. Leur crainte se changea en tranquillité, et leur confusion se mua en joie. Ils commencèrent à danser, à chanter et à frapper sur des tôles de fer avec leurs gros bâtons, emplissant la vallée de leurs clameurs et de leurs cris.

«Plus tard, dans la nuit, le chef de la tribu appela La Wiss et lui dit: «Tu as fait une chose que personne n'avait faite jusqu'à présent... Tu as montré ta connaissance d'un secret caché qu'aucun de nous ne comprend. Interprète de la volonté de mon peuple, je veux que tu sois le membre le plus important de la tribu après moi. Je suis le plus fort et tu es le plus sage et le plus savant... Tu es l'intermédiaire entre notre peuple et les dieux dont tu devras interpréter les désirs et les actes, et tu nous enseigneras ce qui est nécessaire pour obtenir leurs bénédictions et gagner leur amour».

«Et La Wiss, rusé, assura: «Tout ce que le Dieu des Hommes me révèlera dans mes rêves divins vous sera communiqué à mon réveil, et vous pouvez être assuré que je serai le lien direct entre lui et vous.» Le chef en fut convaincu, et il donna à La Wiss deux chevaux, sept veaux, soixante-dix brebis et soixante-dix agneaux. Et il lui parla en disant: «Les hommes de la tribu te construiront une solide maison, et à la fin de chaque moisson, ils te donneront une partie de la récolte pour te permettre de vivre en maître honorable et respecté.»

La Wiss se leva et s'apprêta à partir, mais le chef le retint en disant: «Quel est celui que tu appelles le Dieu des Hommes? Qui est cette audacieuse divinité qui oppose son influence à celle du Dieu de la Nuit? Nous n'avons jamais pensé à lui auparavant». La Wiss se frotta le front et répondit: «Mon honorable Maître, au temps jadis, avant la création de l'homme, tous les dieux vivaient ensemble, en paix dans un monde supérieur derrière la vaste étendue des étoiles. Le Dieu des Dieux était leur père, et il savait ce qu'ils ignoraient, et il faisait ce qu'ils étaient incapables de faire. Il gardait pour lui les secrets divins qui existaient au delà des lois éternelles. Au cours de la septième époque du douzième âge, l'esprit de Bachtar, qui haïssait le Grand Dieu, se révolta et se dressa devant son père en disant: «Pourquoi gardes-tu pour toi seul le pouvoir de haute autorité sur toutes les créatures et nous caches-tu les secrets et les lois de l'Univers? Ne sommes-nous pas tes enfants qui croient en toi et qui partagent avec toi la compréhension suprême de l'être éternel?»

Le Dieu des Dieux se fâcha violemment et dit: «J'entends garder pour moi la puissance originelle et la haute autorité et les secrets essentiels, car je suis le commencement et la fin.»

Et Bachtar lui répondit en disant: «Si tu ne partages pas avec moi ta force et ta puissance, moi, mes enfants et les enfants de mes enfants, nous nous révolterons contre toi!» Alors le Dieu des Dieux se dressa sur son trône dans les profondeurs du ciel, tira un glaive et brandit le soleil comme bouclier. Et d'une voix qui fit trembler tous les recoins de l'Éternité, il hurla: «Descends, odieux rebelle, dans cet affreux monde inférieur où règnent l'obscurité et la misère! Tu y demeureras en exil jusqu'à ce que le Soleil devienne cendres et les étoiles d'infimes particules dispersées!» Et dans l'heure même, Bachtar descendit du monde supérieur dans le monde inférieur où demeurent tous les esprits mauvais. Là-dessus, il jura sur le secret de la Vie qu'il combattrait son père et ses frères en prenant au piège toutes les âmes qui les aimaient.»

«En écoutant ce récit, le Chef fronça le front, et son visage pâlit. Il se hasarda à demander: «Ainsi le nom du Dieu du Mal est Bachtar?» Et La Wiss répondit: «Son nom était Bachtar quand il se trouvait dans le monde d'en-haut, mais lorsqu'il entra dans le monde inférieur, il adopta successivement les noms de Baalzaboul, de Satanael, de Balial, de Zamiel, d'Ahriman, de Mara, d'Abdon, de Démon et finalement de Satan, qui est le plus célèbre».

«Le Chef répéta à plusieurs reprises le nom de Satan d'une voix tremblante qui ressemblait au bruit des branches sèches sous le souffle du vent. Puis il dit: «Pourquoi Satan hait-il les hommes autant qu'il hait les dieux?»

«La Wiss répondit vivement: «Il hait l'homme parce que l'homme est un descendant de ses frères et soeurs.» Le Chef s'écria: «Mais alors, Satan est le cousin de l'homme!» D'une voix où se mêlaient l'embarras et la confusion, La Wiss rétorqua: «Oui Maître, mais il est leur ennemi suprême qui remplit leurs jours de misère et leurs nuits de rêves horribles. Il est la puissance qui dirige la tempête vers leurs masures, qui provoque la famine dans leurs plantations et qui apporte la maladie sur eux et sur leurs animaux. C'est un dieu mauvais et puissant. Il est dépravé et il se réjouit lorsque nous sommes dans la peine, il se lamente quand nous sommes joyeux. Selon ce que je sais, nous devons soigneusement l'examiner pour nous garder de ses maux. Nous devons étudier son caractère pour éviter de marcher sur ses chemins semés d'embûches.»

Le Chef pencha la tête sur son gros bâton et murmura: «Je viens d'apprendre ainsi le secret intérieur de cette étrange puissance qui dirige la tempête vers nos demeures et qui amène la peste sur nous et sur nos troupeaux. Le peuple sera informé de tout ce que je viens d'apprendre, et La Wiss sera béni, honoré et glorifié pour leur avoir révélé le mystère de leur puissant ennemi et les avoir détournés de la route du mal.»

«Et La Wiss quitta le Chef de la tribu pour gagner sa demeure, satisfait de son ingéniosité et exalté par le vin de son plaisir et de son imagination. Pour la première fois, le Chef et les membres de la tribu, à l'exception de La Wiss, passèrent la nuit sur leurs couches entourés d'horribles fantômes, de spectres effrayants et de rêves troublants.»

* * * * *

Satan cessa de parler pendant un moment tandis que le Père Samaan le regardait d'un air hébété, et qu'un sourire morbide se dessinait sur ses lèvres. Alors Satan poursuivit: «C'est ainsi que la prophétie apparut sur la terre, et c'est ainsi que mon existence en fut la cause. La Wiss fut le premier à se faire une vocation de ma cruauté. Après sa mort, cette occupation se transmit à ses enfants et se développa jusqu'à devenir une profession divine et parfaite, exercée par ceux dont les esprits sont gonflés de connaissances, dont les âmes sont nobles, dont les coeurs sont purs et dont l'imagination est vaste.

À Babylone, les habitants se prosternaient sept fois devant le prêtre qui me combattait par ses chants... À Ninive, ils considéraient celui qui prétendait connaître mes secrets intérieurs comme un lien d'or entre Dieu et l'Homme... Au Tibet, ils appelaient celui qui me combattait Fils du Soleil et de la Lune... À Byblos, à Éphèse et à Antioche, ils offraient en sacrifice à mes adversaires la vie de leurs enfants... À Jérusalem et à Rome ils remettaient leur propre vie entre les mains de ceux qui proclamaient qu'ils me haïssaient et qu'ils me combattaient de toutes leurs forces.

«Dans chaque ville qui se dresse sous le soleil, mon nom a été l'axe du cercle éducatif de la religion, des arts et de la philosophie. Si je n'avais pas existé, on n'aurait pas construit de temples, on n'aurait édifié ni tours ni palais. Je suis le courage qui engendre la résolution de l'homme... Je suis la source d'où jaillit l'originalité de la pensée... Je suis la main qui dirige la main de l'homme... Je suis Satan éternel. Je suis Satan que les peuples combattent pour demeurer en vie. S'il cessent de me combattre, l'indolence étouffera leur esprits, leurs coeurs et leurs âmes, conformément aux sanctions surnaturelles de leur épouvantable mythe.

«Je suis la tempête furieuse et muette qui agite l'esprit des hommes et le coeur des femmes. Par crainte de moi, ils se rendent en pélerinage dans des lieux de prière pour me condamner, ou ils vont dans les temples du vice pour me rendre heureux en se soumettant à ma volonté. Le moine qui prie dans le silence de la nuit pour m'éloigner de son lit est comme la prostituée qui m'invite dans sa chambre. Je suis Satan perpétuel et éternel.

«Je bâtis des couvents et des monastères sur les fondations de la peur. Je construis des tavernes et des maisons de débauche sur les fondations de la luxure et de l'auto-satisfaction. Si je cessais d'exister, la crainte et la joie disparaîtraient de ce monde et avec leur disparition, les désirs et les espoirs cesseraient d'exister dans le coeur des hommes. L'existence deviendrait vide et froide, comme une harpe dont les cordes seraient brisées. Je suis Satan perpétuel.

Je suis l'inspirateur de la Fausseté, de la Calomnie, de la Tricherie, de la Tromperie et de la Moquerie, et si ces éléments étaient effacés du monde, la société humaine deviendrait un champ désert dans lequel plus rien ne pousserait que les épines de la vertu. Je suis Satan perpétuel.

«Je suis le père et la mère du péché, et si le péché devait s'évanouir, ceux qui le combattent disparaîtraient avec lui, ainsi que leurs familles et leurs institutions.

«Je suis le coeur de tout le mal. Souhaiteriez-vous que le mouvement de l'homme s'arrête avec les battements de mon coeur? Accepteriez-vous le résultat après avoir détruit la cause? Je suis la cause. Permettriez-vous que je meure dans cette étendue désertique? Désirez-vous trancher le lien qui existe entre vous et moi? Répondez-moi, prêtre!»

Et Satan étendit les bras, pencha la tête en avant et soupira profondément. Son visage devint gris et il ressembla à une de ces statues égyptiennes abandonnées par les Âges sur les bords du Nil. Puis, de ses yeux brillants, il fixa le visage du Père Samaan et il dit, d'une voix tremblante: «Je suis las et faible. J'ai eu tort de consacrer mes forces déclinantes à parler de choses que vous saviez déjà. Maintenant, faites comme vous l'entendez. Vous pouvez me transporter chez vous pour soigner mes blessures ou me laisser mourir ici.»

Le Père Samaan frissonna et se frotta nerveusement les mains. Il dit d'une voix qui s'excusait: «Je sais maintenant ce que je ne savais pas il y a une heure. Pardonnez mon ignorance. Je sais que votre existence sur cette terre crée la tentation, et que la tentation est la mesure qui permet à Dieu de juger de la valeur des âmes humaines. C'est une balance que le Dieu Tout Puissant emploie pour peser les esprits. Je suis certain que si vous mourez, la tentation mourra avec vous et qu'avec sa disparition, la mort détruira la puissance idéale qui élève l'homme et le rend attentif.

«Vous devez vivre, car si vous mourez, les gens le

sauront, leur crainte de l'enfer s'évanouira et ils cesseront d'adorer Dieu car le péché ne sera plus rien. Vous devez vivre, car votre existence sauve l'humanité du vice et du péché.

«Pour moi, je sacrifierai la haine que je vous porte sur l'autel de mon amour pour l'homme.»

Satan éclata d'un rire qui fit trembler le sol et il dit: «Quel être intelligent vous êtes, mon Père! Et que votre connaissance des faits théologiques est magnifique! Vous avez découvert par la seule puissance de votre savoir un but à mon existence que je n'avais jamais compris, et maintenant, nous comprenons à quel point nous avons besoin l'un de l'autre.

«Approchez-vous de moi, mon frère. L'obscurité submerge la plaine et la moitié de mon sang s'est échappé sur le sable de cette vallée. Plus rien ne subsiste de moi que les restes d'un corps brisé que la mort va bientôt s'acheter si vous ne lui venez pas en aide.» Le Père Samaan releva ses manches, s'approcha, porta Satan sur son dos et se dirigea avec lui vers sa demeure.

* * * * *

Au milieu de ces vallées, enfoui dans le silence et embelli par le voile de l'obscurité, le Père Samaan marcha vers le village, le dos ployé sous le poids de son lourd fardeau. Sa soutane noire et sa longue barbe étaient éclaboussées du sang qui coulait au-dessus de lui, mais il poursuivit son effort, et ses lèvres s'agitaient dans une fervente prière en faveur de Satan moribond.

LES SIRÈNES

Dans les profondeurs de la mer il existe un gouffre immense entourant les îles où le soleil se lève. Et là, où l'on trouve des perles en abondance, gît le corps d'un jeune homme entouré par des sirènes aux longs cheveux d'or. Elles le regardent de leurs profonds yeux bleus et elles parlent entre elles avec des voix pleines de musicalité. Et leur conversation, entendue par les profondeurs et portée sur la berge par les vagues, m'a été transmise par une brise joyeuse.

L'une d'elles dit: «Voici un homme qui est entré hier dans notre monde alors que notre océan était en fureur.»

La seconde dit: «La mer n'était pas en fureur. L'Homme, qui prétend descendre des dieux, menait une bataille d'airain, et il a répandu tellement de sang que l'eau s'est empourprée. Cet humain est une victime de la guerre.»

La troisième se hasarda à dire: «J'ignore ce qu'est la guerre, mais je sais que l'Homme, après avoir conquis les terres, est devenu agressif et cherche à soumettre les mers. Il a dessiné un étrange objet qui le porte sur les flots, et notre sévère Neptune s'est fâché contre son avidité. Pour lui plaire, l'Homme s'est mis à lui offrir des dons et des sacrifices, et le corps immobile qui est en face de nous est le plus récent cadeau de l'Homme à notre grand et terrible Neptune.»

La quatrième affirma: «Que Neptune est grand, et que son coeur est cruel! Si j'étais le sultan de cette mer, je refuserais d'accepter un tel tribut... Venez, et ex aminons cette rançon. Peut-être nous éclairera-t-elle sur le clan des humains.»

Les sirènes s'approchèrent du jeune homme, fouillèrent ses poches et trouvèrent un message placé près de son coeur. L'une d'elles lut à haute voix pour les autres:

Mon Bien-Aimé,
Il est à nouveau minuit, et je n'ai d'autre consolation que les larmes que je verse, et rien pour me réconforter sinon l'espoir de te voir échapper aux griffes sanglantes de la guerre pour revenir vers moi. Je ne peux pas oublier les mots que tu as prononcés au moment de ton départ: «Tout homme a un capital de larmes qui doit être remboursé un jour.»

Je ne sais que te dire, mon Bien-Aimé, mais je vais laisser mon âme se répandre sur le parchemin... Mon âme souffre de notre séparation, mais elle est consolée par l'Amour qui transforme la douleur en joie, le chagrin en bonheur. Alors que l'Amour avait uni nos coeurs, et que nous attendions le jour où ils seraient joints par le puissant souffle de Dieu, la Guerre a lancé son horrible appel et tu l'as suivie, poussé par ton devoir envers tes chefs.

Quel est donc ce devoir qui sépare les amants, qui rend les femmes veuves et les enfants orphelins? Quel est ce patriotisme qui provoque les guerres et détruit les royaumes pour des vétilles? Quelles sont ces obligations qui invitent de pauvres villageois, considérés comme rien par les forts et les nobles héréditaires, à mourir pour la gloire de leurs oppresseurs? Si le devoir détruit la paix parmi les nations, et si le patriotisme trouble la tranquillité de l'existence humaine, alors disons: «Que le devoir et le patriotisme reposent en paix».

Non, non, mon Bien-Aimé! N'écoute pas ce que je dis! Sois courageux et fidèle à ton pays... Ne prête pas l'oreille aux propos d'une demoiselle aveuglée par l'Amour et perdue dans les adieux et dans sa solitude.

... Si l'Amour ne te rend pas à moi dans cette vie, alors il nous réunira certainement dans la vie future.

À toi pour toujours.

* * * * *

Les sirènes replacèrent la lettre dans les vêtements du jeune homme et s'éloignèrent en nageant, silencieusement et tristement. Lorsqu'elles se rassemblèrent à nouveau à quelque distance du cadavre du soldat défunt, l'une d'elles dit: «Le coeur de l'homme est plus sévère que le cruel coeur de Neptune.»

NOUS ET VOUS

Nous sommes les fils du Chagrin et vous êtes
Les fils de la Joie. Nous sommes les Fils du Chagrin,
Et le Chagrin est l'ombre d'un dieu qui
Ne vit pas dans le domaine des coeurs méchants.

Nous sommes de tristes esprits, et le Chagrin
Est trop grand pour habiter des coeurs étroits.
Lorsque vous riez, nous pleurons et nous nous
lamentons.
Et celui qui a été une fois marqué et purifié par
Ses propres larmes demeurera pur pour toujours.

Vous ne nous comprenez pas, mais nous vous offrons
Notre sympathie. Vous courez avec le
Courant de la Rivière de la Vie, et vous
Ne nous regardez pas. Mais nous sommes assis
Près de la côte, nous vous observons, et nous entendons
Vos étranges voix.

Vous ne comprenez pas nos pleurs, car
La clameur des jours emplit vos oreilles
Bouchées par la dure substance de
Vos années d'indifférence envers la Vérité. Mais nous
entendons
Vos chansons, car le murmure de la nuit a ouvert
Le plus profond de nos coeurs. Nous vous voyons
Debout sous le doigt tendu de la lumière,
Mais vous ne nous voyez pas, car nous nous attardons
Dans la lumineuse obscurité.

Nous sommes les fils du Chagrin. Nous sommes les
Poètes
Et les Prophètes et les Musiciens. Nous tissons
Des vêtements pour la déesse avec les fils
De nos coeurs, et nous emplissons les mains
Des anges des semences de notre moi intérieur.

Vous êtes les fils de la recherche de la Gaieté
Terrestre. Vous placez vos coeurs dans les mains
Du néant, car le contact de la main sur
Le Néant est doux et attirant.

Vous habitez la maison de l'Ignorance, car
Dans sa maison il n'est pas de miroirs où
Contempler vos âmes.
Nous soupirons et de nos soupirs monte
Le murmure des fleurs et le bruissement
Des feuilles et le clapotis des ruisseaux.

Lorsque vous vous moquez de nous, vos sarcasmes
se mêlent
Au broyage des crânes et au
Cliquetis des chaînes et aux gémissements
De l'Abîme. Lorsque nous pleurons, nos larmes tombent

Dans le coeur de la Vie, comme les gouttes de rosée
coulent
Des yeux de la Nuit dans le coeur de l'Aube. Et
Lorsque vous riez, vos moqueries scintillent
Comme le venin de la vipère dans une blessure.

Nous pleurons, et nous offrons notre sympathie au
malheureux
Voyageur et à la veuve éplorée. Mais vous vous
réjouissez
Et vous souriez à la vue de l'or resplendissant.

Nous pleurons, car nous écoutons le gémissement des
Pauvres et le chagrin des faibles opprimés.
Mais vous riez, car vous n'entendez rien que
Le son joyeux des gobelets de vin.

Nous pleurons, car nos esprits, pour l'instant, sont
Séparés de Dieu. Mais vous riez, car
Vos corps insouciants s'accrochent à la terre.

                    * * * * *

Nous sommes les fils du Chagrin, et vous êtes
Les fils de la Joie... Mesurons le résultat de
Notre tristesse aux actes de votre Joie
Devant la face du Soleil...
Vous avez construit les Pyramides sur les coeurs
Des esclaves, mais les Pyramides se dressent maintenant
Sur le sable, et commémorent devant les Siècles notre
Immortalité et votre Disparition.

Vous avez construit Babylone sur les ossements
Des faibles, et vous avez édifié les Palais de Ninive
Sur les tombes des malheureux. Babylone n'est plus
Que l'empreinte du chameau sur le sable mouvant

Du désert, et on raconte son histoire
Aux nations qui nous bénissent et qui vous maudissent.

Nous avons sculpté Ashtart dans un marbre résistant,
Nous l'avons fait trembler dans sa solidité et
Nous l'avons fait parler dans son mutisme.

Nous avons composé et joué sur nos cordes
Le chant apaisant de Nahawand, et nous avons
contraint
L'esprit du Bien-Aimé à venir flâner près de nous
Dans le firmament. Nous avons loué
L'Être Suprême en paroles et en actes. Les mots
Sont devenus la parole de Dieu et les actes
Sont devenus l'irrésistible amour des Anges.

Vous suivez les voies du Divertissement dont les griffes
acérées
Ont déchiré des milliers de martyrs dans les arènes
De Rome et d'Antioche... Mais nous suivons la route
Du Silence, dont les doigts délicats ont tissé
L'Iliade et le Livre de Job et les Lamentations
De Jérémie.

Vous vous vautrez dans la Luxure, dont la tempête
A balayé un millier de processions de l'âme de
La femme et les a précipitées dans le puits de la honte
Et de l'horreur... Mais nous embrassons la Solitude à
l'ombre
De laquelle ont surgi les beautés de Hamlet et de Dante.

Vous cherchez à amadouer l'Avidité dont les glaives
Tranchants ont fait couler un millier de rivières
De sang... Mais nous cherchons la compagnie de la
Vérité

Dont les mains nous ont apporté
La connaissance du Grand Coeur du Cercle
De Lumière.

* * * * *

Nous sommes les fils du Chagrin et vous êtes les
Fils de la Joie. Et entre notre chagrin et votre
Joie serpente un sentier étroit et escarpé que
Vos nerveux chevaux ne peuvent parcourir et
Sur lequel vos superbes attelages ne peuvent passer.

Nous avons pitié de votre petitesse comme vous haïssez
Notre grandeur. Et entre votre pitié et notre
Haine, le Temps s'arrête, abasourdi. Nous venons vers
Vous en amis, mais vous nous attaquez comme vos
ennemis.
Et entre notre amitié et votre hostilité,
Se trouve un profond ravin où coulent les larmes
Et le sang.

Nous vous construisons des palais, et vous nous creusez
des tombes.
Et entre la beauté du palais
Et l'obscurité de la tombe, l'Humanité
Se promène comme une sentinelle bardée d'airain.

Nous semons votre route de roses et vous couvrez
Nos lits d'épines. Et entre les roses
Et les épines, la Vérité sommeille par à-coups.

Depuis le commencement du monde, vous avez
combattu
Notre aimable pouvoir au moyen de votre
Grossière faiblesse. Et lorsque vous l'emportez

Sur nous pendant une heure, vous croassez et vous hurlez
De Joie comme les grenouilles des marais. Et lorsque
Nous vous conquérons et que nous vous soumettons pour un siècle,
Nous demeurons des géants silencieux.

Vous avez crucifié Jésus et vous vous êtes tenus à ses pieds
En blasphémant et en vous moquant de Lui. Mais finalement,
Il est descendu de la croix et il a conquis les générations.
Il a marché au milieu de vous comme un héros, emplissant
L'Univers de Sa gloire et de Sa beauté.

Vous avez empoisonné Socrate, lapidé Paul,
Détruit Ali Talib et assassiné
Madhat Pacha, et pourtant, ces immortels sont
Avec nous pour toujours en face de l'Éternité.

Mais vous vivez dans la mémoire de l'Homme comme
Des cadavres à la surface de la terre. Et vous
Ne pouvez trouver un ami pour vous enterrer dans
l'Obscurité de la non-existence et de l'oubli
Que vous avez recherchés sur la terre.

Nous sommes les fils du Chagrin, et le chagrin est
Un riche nuage qui arrose les multitudes
De Connaissance et de Vérité. Vous êtes les fils de
La Joie, et si haut que votre joie puisse monter,
La Loi de Dieu veut qu'elle soit détruite
Par les vents du ciel et dispersée
Dans le néant, car elle n'est rien
Qu'un mince et vacillant pilier de fumée.

LE POÈTE

Je suis un étranger dans ce monde et il y a, dans mon exil, une sévère solitude et un pénible isolement. Je suis seul, mais dans cette solitude, je contemple un pays inconnu et enchanteur, et cette méditation emplit mes rêves des fantômes d'un grand et lointain pays que mes yeux n'ont jamais vu.

Je suis un étranger au milieu de mon peuple, et je n'ai pas d'amis. Lorsque je vois quelqu'un, je me dis en moi-même: «Qui est-ce, comment l'ai-je connu, pourquoi est-il ici, et quelle loi m'unit à lui?»

Je suis un étranger envers moi-même, et lorsque j'entends parler ma langue, mes oreilles s'étonnent de ma voix. Je vois mon moi intérieur sourire, pleurer, braver et craindre. Et mon existence s'étonne de ma substance tandis que mon âme interroge mon coeur. Mais je demeure inconnu, enfoui dans un effrayant silence.

Mes pensées sont des étrangers pour mon corps et lorsque je me tiens devant un miroir, je vois sur mon visage quelque chose que mon âme ne voit pas et je trouve dans mes yeux ce que mon moi intérieur n'y a pas découvert.

Lorsque je me promène, le regard vide, dans les rues de la bruyante cité, les enfants me suivent en criant: «Voici un aveugle. Donnons-lui une canne pour qu'il cherche son chemin à tâtons.» Lorsque je les fuis, je trouve un groupe de jeunes filles, et elles s'accrochent à mes vêtements en disant: «Il est sourd comme un roc. Emplissons ses oreilles de la musique de l'Amour.» Et lorsque je m'écarte d'elles, une foule de gens âgés me montre d'un doigt tremblant en disant: «C'est un fou qui a perdu l'esprit dans le monde des génies et des goules.»

* * * * *

Je suis un étranger dans ce monde. J'ai parcouru l'Univers d'un bout à l'autre, mais je n'ai pu trouver un endroit où reposer ma tête. Et je n'ai connu aucun des humains que j'ai rencontrés, ni un individu qui ait voulu prêter l'oreille à mon âme.

Lorsque j'ouvre à l'aurore mes yeux qui n'ont pas connu le sommeil, je me trouve emprisonné dans une sombre grotte au plafond de laquelle pendent des insectes et sur le sol de laquelle rampent des vipères.

Lorsque je sors pour trouver la lumière, l'ombre de mon corps me suit, mais l'ombre de mon esprit me précède et me mène vers un endroit inconnu à la recherche de choses qui dépassent mon entendement, et elle s'empare d'objets qui n'ont pour moi aucune signification.

Le soir, je rentre et je me couche sur mon lit fait de tendres plumes et bordé d'épines, je contemple en moi de troublants et heureux désirs et je ressens de pénibles et joyeuses espérances.

À minuit, les fantômes des temps révolus et les esprits des civilisations perdues s'insinuent dans les failles de la grotte pour venir me parler... Je les regarde et ils me regardent. Je leur parle et ils me répondent en souriant. Alors, je tente de les saisir, mais ils me glissent entre les doigts et s'évanouissent comme le brouillard qui s'étend sur le lac.

* * * * *

Je suis un étranger dans ce monde, et il n'est personne dans l'Univers qui comprenne le langage que je parle. Le dessin de bizarres souvenances se forme soudainement dans mon esprit et mes yeux font apparaître d'étranges images et de tristes fantômes. Je me promène dans les prairies désertes, j'observe les ruisseaux à la course rapide qui remontent de la vallée vers le sommet de la montagne. J'observe les arbres dénudés qui fleurissent et qui portent leurs fruits et qui perdent leurs feuilles en un instant. Puis je vois tomber les branches qui se transforment en serpents mouchetés. Je vois les oiseaux qui flânent là-haut en chantant ou en poussant des cris plaintifs. Puis ils s'arrêtent, ouvrent leurs ailes et se transforment en jeunes filles dévêtues à la longue chevelure. Elles me regardent de leurs yeux fardés et fous, et elles me sourient de leurs lèvres pleines, barbouillées de miel, et elles tendent vers moi leurs mains parfumées. Puis elles montent et disparaissent à ma vue comme des fantômes, laissant au firmament l'écho sonore de leurs railleries et de leurs rires moqueurs.

Je suis un étranger dans ce monde... Je suis un poète qui versifie la prose de la vie, et qui compose en prose ce que la vie versifie.

Pour cette raison, je suis un étranger, et je resterai un étranger jusqu'au moment où les ailes blanches et

fraternelles de la mort me ramèneront chez moi dans
mon beau pays. Là, où habitent la lumière, la paix et la
compréhension, j'attendrai les autres étrangers qui
seront sauvés de ce monde mesquin et sombre par le
piège amical du temps.

LES CENDRES DES SIÈCLES
ET LE FEU ÉTERNEL

1ÈRE PARTIE

Au printemps de l'an 116 avant J.-C.

La nuit était tombée, et le silence régnait tandis que la vie s'assoupissait dans la Cité du Soleil (*). Les lampes s'éteignaient dans les maisons éparpillées autour des temples majestueux construits au milieu des lauriers et des oliviers. La Lune répandait ses rayons d'argent sur les colonnes de marbre blanc, dressées comme des géants dans le silence de la nuit pour garder les temples des dieux, et qui regardaient avec perplexité vers les tours du Liban dont étaient hérissés les sommets des lointaines collines.

(*) Baalbek, ou la Ville de Baal, appelée par les Anciens «La Cité du Soleil», avait été construite en l'honneur du dieu-soleil Hélios, et les historiens prétendent que c'était la plus belle ville du Moyen-Orient. Ses ruines, telles que nous les voyons aujourd'hui, montrent que l'architecture fut largement influencée par les Romains pendant l'occupation de la Syrie. (Note de l'Éditeur)

À cette heure, alors que les âmes s'abandonnaient à l'assoupissement, Nathan, le fils du Grand Prêtre, entra dans le temple d'Ashtart en portant une torche dans ses mains tremblantes. Il alluma les lampes et les encensoirs jusqu'à ce que les senteurs aromatiques de la myrrhe et de l'encens se fussent répandues jusque dans les recoins les plus éloignés. Alors, il s'agenouilla devant l'autel incrusté d'ivoire et d'or, tendit les mains vers Ashtart et s'écria d'une voix douloureuse et étouffée: «Aie pitié de moi, Ô grande Ashtart, déesse de l'Amour et de la Beauté. Sois miséricordieuse et éloigne les mains de la Mort de la bien-aimée que mon âme s'est choisie par ta volonté... Les potions des médecins et des magiciens ne lui ont pas rendu la vie, pas plus que les charmes des prêtres et des sorciers. Il ne reste plus d'autre remède que ta sainte volonté. Tu es mon guide et mon salut. Aie pitié de moi et exauce mes prières!(*) Jette un regard sur mon coeur brisé et sur mon âme meurtrie! Épargne la vie de ma bien-aimée pour que nous puissions jouir des secrets de ton amour, et glorifier la beauté de la jeunesse qui révèle le mystère de ta force et de ta sagesse. Du plus profond de mon coeur, je crie vers toi, Ô glorieuse Ashtart, et du fond de l'obscurité de la nuit, j'implore ta grâce. Entends ma voix, Oh Ashtart! Je suis ton bon serviteur Nathan, le fils du Grand Prêtre Hiram et, devant ton autel, je consacre tous mes actes et toutes mes paroles à ta grandeur.

(*)   Ashtart était la grande déesse des Phéniciens. Ils l'adoraient dans les cités de Tyr, de Sidon, de Sûr, de Djabeil et de Baalbek et ils l'appelaient le Feu de la Torche de la Vie et le Gardien de la Jeunesse. Sous le nom d'Astarté, la Grèce l'adora après la Phénicie en l'appelant déesse de l'Amour et de la Beauté. Les Romains l'appelèrent Vénus. (Note de l'Éditeur)

J'aime une fille parmi toutes les filles, et j'en ai fait ma compagne, mais les épouses célestes l'ont enviée et lui ont inoculé une étrange affection. Elles lui ont envoyé le messager de la Mort qui se tient près de son lit comme un fantôme affamé, qui étend sur elle ses grandes ailes noires nervurées, et qui ouvre ses griffes acérées pour être prêt à se saisir d'elle. Je suis venu te supplier d'avoir pitié de moi et d'épargner cette fleur qui n'a pas encore pu jouir de l'été de la Vie.

«Sauve-la de l'emprise de la Mort pour que nous puissions joyeusement chanter tes louanges, brûler de l'encens en ton honneur et offrir des sacrifices à ton autel, emplir tes vases d'huile parfumée et répandre des roses et des violettes sur le parvis de ton temple, brûler de l'encens devant ton sanctuaire. Sauve-la, Oh Ashtart, déesse des miracles et laisse l'Amour l'emporter sur la mort dans cette lutte de la Joie contre le Chagrin.»(*)

Nathan retomba dans le silence. Ses yeux étaient remplis de larmes et son coeur poussait de tristes soupirs. Puis il poursuivit: «Hélas, mes rêves volent en éclats et mon coeur fond. Que ta grâce me stimule, et que ma bien-aimée soit épargnée!»

À ce moment, un de ses esclaves pénétra dans le temple, se dirigea vivement vers Nathan et lui murmura à l'oreille: «Elle a ouvert les yeux, maître et elle a regardé autour d'elle, mais elle ne vous a pas trouvé. Alors elle vous a appelé, et je suis venu aussi vite que possible pour vous en avertir.»

Nathan s'en fut vivement et l'esclave le suivit.

(*) Durant l'Ère de l'Ignorance, les Arabes croyaient que si un génie-femme aimait un jeune humain, elle l'empêchait de se marier, et s'il le faisait, elle ensorcelait l'épouse et la faisait mourir. Cette superstition mythologique subsiste de nos jours dans certains petits villages du Liban. (Note de l'Éditeur)

Lorsqu'il atteignit le palais, il entra dans la chambre de la jeune femme malade, se pencha sur son lit, prit sa main fragile et écrasa ses lèvres de baisers comme s'il cherchait à insuffler en elle une nouvelle vie avec sa propre vie. Elle remua la tête sur les coussins de soie et ouvrit les yeux. Et sur ses lèvres apparut le fantôme d'un sourire qui était un faible résidu de vie dans son corps affaibli... l'écho d'un appel du coeur qui court vers le repos. Et d'une voix qui ressemblait aux faibles cris d'un enfant affamé sur le sein d'une mère tarie, elle dit: «La déesse m'a appelée, Oh Vie de mon Âme, et la Mort est venue pour me séparer de toi. Mais ne crains rien, car la volonté de la déesse est sacrée, et les exigences de la Mort sont justes. Je m'en vais maintenant, et j'entends le bruissement de l'innocence qui descend sur moi, mais les coupes de l'Amour et de la Jeunesse sont encore pleines dans nos mains, et les sentiers fleuris de la superbe Vie s'étendent devant nous. Je m'embarque, mon bien-aimé, sur une arche d'esprit, et je reviendrai dans ce monde, car la grande Ashtart ramènera à la vie les âmes des humains aimants qui sont parties pour l'Éternité avant d'avoir joui de la douceur de l'Amour et du bonheur de la Jeunesse.

«Nous nous retrouverons un jour, oh, Nathan, et nous boirons ensemble la rosée de l'aube dans les pétales creux des lys. Et nous apprécierons, avec les oiseaux des champs, les couleurs de l'arc-en-ciel. Jusqu'alors, mon Éternel Amour, je te dis Adieu» (*)

(*) Beaucoup d'Asiatiques partagent cette conviction qu'ils ont trouvée dans leurs Livres Saints. Mahomet a dit: «Vous étiez mort, et il vous a ramené à la vie. Puis il vous tuera à nouveau, et il vous réanimera pour vous conduire jusqu'à Lui.» Bouddha a dit: «Hier, nous existions dans cette vie, et maintenant nous sommes venus et nous reviendrons sans cesse jusqu'à ce que nous devenions parfaits comme Dieu.» (Note de l'Éditeur)

Sa voix faiblit et ses lèvres tremblèrent comme une fleur solitaire sous les bourrasques de l'aube. Nathan l'embrassa en versant des larmes, et tandis qu'il pressait ses lèvres contre les siennes, il les trouva froides comme les pierres des champs. Il poussa un terrible cri et se mit à déchirer ses vêtements. Il se jeta sur son corps sans vie tandis que son âme tremblante naviguait par à-coups entre la montagne de la Vie et le précipice de la Mort.

Dans le silence de la nuit, les âmes assoupies se réveillèrent. Les femmes et les enfants furent épouvantés en entendant le puissant grondement, les gémissements pénibles et les amères lamentations qui venaient du Palais du Grand Prêtre d'Ashtart.

Lorsque le matin arriva, encore fatigué, les gens s'enquirent de Nathan pour lui offrir leur sympathie, mais ils apprirent qu'il avait disparu. Une quinzaine de jours plus tard, le chef d'une caravane qui venait de l'Est raconta qu'il avait vu Nathan marcher avec un troupeau de gazelles dans le lointain désert.

* * * * *

Les siècles passèrent, piétinant de leurs pieds invisibles les faibles réalisations des civilisations. La déesse de l'Amour et de la Beauté avait quitté le pays. Une déesse étrange et inconstante prit sa place. Elle détruisit les temples magnifiques de la Cité du Soleil et abattit ses superbes palais. Les vergers en fleurs et les prairies fertiles furent dévastés et rien ne demeura en ce lieu que les ruines rappelant aux âmes en détresse les fantômes du passé, et ne répétant aux esprits chagrins que l'écho des hymnes de gloire.

Mais les siècles sévères qui avaient mis en pièces les actions des hommes ne purent détruire ses rêves. Et ils ne purent affaiblir son amour, car les rêves et les affections vivent éternellement avec l'Esprit Éternel. Ils peuvent disparaître pour un temps, poursuivant le soleil lorsque vient la nuit et les étoiles lorsque pointe le matin, mais comme les lumières du ciel, ils reviennent à coup sûr.

2ème Partie

Au printemps de l'année 1890 après J.-C.

Le jour était tombé, et la Nature se préparait à s'assoupir. Le soleil retira ses rayons d'or des plaines de Baalbek. Ali El Hosseini (*) ramena son troupeau vers l'abri situé au milieu des ruines des temples. Il s'assit près des antiques colonnes qui symbolisent les ossements des nombreux soldats abandonnés sur le champ de bataille. Les brebis se groupèrent autour de lui, charmées par la musique de sa flûte.

Minuit vint, et le ciel sema les graines du jour suivant dans les profonds sillons de l'obscurité. Les yeux d'Ali se lassèrent des fantômes de l'éveil et son esprit se fatigua de suivre la procession de fantômes qui marchaient dans un horrible silence au milieu des murs en ruines. Il s'appuya sur son bras, et de l'extrémité de son voile tressé, le sommeil s'empara de ses sens, comme un nuage délicat qui toucherait la calme surface d'un lac. Il oublia son moi réel et affronta sa personnalité invisible, riche de rêves et d'idéaux plus élevés que les lois et les enseignements des hommes. Le cercle de la vision

---

(*) Les Hosseinis sont des groupes qui comprennent une tribu arabe. Celle-ci vit actuellement sous la tente dans les plaines qui entourent les ruines de Baalbek. (Note de l'Éditeur)

s'élargit devant ses yeux, et les secrets cachés de la Vie lui devinrent progressivement apparents. Son âme abandonna le rapide défilé du temps qui se hâtait vers le néant. Il demeura seul devant des pensées symétriques et des idées de cristal. Pour la première fois de sa vie, Ali fut conscient des causes de la famine spirituelle qui avait accompagné sa jeunesse... La famine qui comblait le fossé entre la douceur et l'amertume de la Vie... Cette soif qui unit dans le contentement les soupirs de l'Affection et le silence de la Satisfaction... Cette aspiration qui ne peut être vaincue par la gloire du monde ni déformée par le passage des siècles. Ali sentit surgir en lui une étrange affection, et une sorte de tendresse interne qui était Mémoire et qui se stimulait comme l'encens placé sur des tisons ardents... C'était un amour magique dont les doigts touchaient doucement le coeur d'Ali comme les doigts délicats des musiciens touchent les cordes vibrantes. C'était une nouvelle puissance qui émanait du néant et qui grandissait en force, embrassant son moi réel en emplissant son esprit d'un amour ardent à la fois pénible et doux.

Ali regarda du côté des ruines, et ses yeux alourdis s'animèrent en imaginant la gloire de ces reliquaires dévastés qui, il y a très longtemps, avaient été des temples éternels, puissants et inexpugnables. Ses yeux devinrent fixes et la respiration de son coeur s'accéléra. Et comme un aveugle qui aurait soudainement retrouvé la vue, il commença à voir, à penser et à méditer... Il se souvint des lampes et des encensoirs d'argent qui entouraient l'image d'une déesse adorée et révérée... Il se rappela les prêtres qui offraient des sacrifices devant un autel d'ivoire et d'or... Il eut la vision des jeunes danseuses, des joueurs de tambourins et des chantres qui entouraient les louanges de la déesse de l'Amour et de la Beauté. Il vit toutes ces images devant lui, et il éprouva la sensation de leur obscurité dans les profondeurs étouffantes de son coeur.

Mais la mémoire seule ne peut apporter que les échos de voix entendues dans les profondeurs du temps jadis. Quelle peut être dès lors l'étrange relation qui existe entre ces souvenirs puissants et entrelacés et la véritable vie passée d'un jeune homme qui est né dans une tente et qui a consacré le printemps de sa vie à faire paître des moutons dans les vallées?

Ali se redressa et se promena au milieu des ruines. Soudain, les souvenirs lancinants déchirèrent le voile de l'oubli dans ses pensées. Au moment où il atteignait la grande entrée caverneuse du temple, il s'arrêta comme si une puissance magique s'était emparée de lui et lui avait immobilisé les pieds. En baissant les yeux, il vit sur le sol les débris d'une statue. Il se dégagea de l'emprise de l'Invisible et aussitôt, les larmes de son âme se mirent à couler comme le sang qui s'échappe d'une profonde blessure. Son coeur gronda, dans un flux et un reflux, comme les vagues ondoyantes de la mer. Il poussa un amer soupir et se mit à pleurer avec douleur, car il éprouvait une poignante solitude et un éloignement destructeur qui s'étendait comme un abîme entre son coeur et le coeur dont il avait été séparé avant d'entrer dans cette vie. Il sentit que les éléments de son âme n'étaient qu'une flamme de la torche brûlante que Dieu avait séparée de Lui avant que ne s'écoule le cours des Siècles. Il sentit la touche légère d'ailes délicates qui s'agitaient autour de son coeur en feu et un grand amour qui s'emparait de lui... Un amour dont la puissance sépare l'esprit du monde de la quantité et de la mesure... Un amour qui parle lorsque la langue de la Vie est muette... Un amour qui se dresse comme un fanal bleu pour montrer la route et guider le voyageur sans lumière visible. Cet amour ou ce Dieu qui, en cette heure tranquille, descendait dans le coeur d'Ali, avait imprégné son être d'une douce et amère affection, comme les épines qui poussent à côté des fleurs épanouies.

Mais qui est cet Amour et d'où vient-il? Qu'attend-il d'un berger qui s'agenouille au milieu de ces ruines? Est-ce une graine semée inconsciemment dans le domaine du coeur par une jeune bédouine? Ou un rayon qui apparaît derrière un sombre nuage pour illuminer la vie? Est-ce un rêve qui a rampé près de lui dans le silence de la nuit pour le ridiculiser? Ou est-ce la Vérité qui existait depuis le Commencement des Temps et qui continuera à exister jusqu'à la Fin?

Ali ferma ses yeux pleins de larmes, étendit les bras en avant comme un mendiant et s'exclama: «Qui êtes-vous, vous qui vous tenez tout près de mon coeur mais loin de ma vue, mais qui agissez pourtant comme un grand mur entre moi et mon moi intérieur, joignant mon présent à mon passé oublié? Êtes-vous le fantôme d'un spectre de l'Éternité qui me montre la vanité de la Vie et la faiblesse de l'humanité? Ou l'esprit d'un génie sorti des crevasses de la terre pour me rendre esclave et faire de moi un objet de moquerie pour les jeunes de ma tribu? Qui êtes-vous et quelle est cet étrange pouvoir qui étouffe et excite mon coeur tout à la fois? Qui suis-je, et quel est cet étrange moi que j'appelle «Moi-même»? L'Eau de la Vie que j'ai bue a-t-elle fait de moi un ange qui voit et qui entend les mystérieux secrets de l'Univers, ou est-ce seulement un mauvais vin qui m'a enivré et qui m'a rendu aveugle sur moi-même?»

Il retomba dans le silence tandis que son anxiété augmentait et que son esprit exultait. Puis il poursuivit: «Oh, ce que révèle l'âme et ce que cache la nuit... Oh, bel esprit qui déambule dans le ciel de mon rêve! Vous avez réveillé en moi une plénitude qui sommeillait, comme des graines vigoureuses cachées sous le manteau de la neige. Vous êtes passé sur moi comme une brise joyeuse apportant à mon moi affamé le parfum des fleurs du ciel. Vous avez touché mes sens, vous les avez agités et fait trembler comme les feuilles des arbres. Laissez-moi vous regarder si vous êtes un humain, ou ordonnez au Sommeil de me fermer les yeux pour que je puisse contempler votre vaste étendue dans mon moi intérieur. Laissez-moi vous toucher. Laissez-moi écouter votre voix. Déchirez ce voile qui me cache tout le but que je poursuis, détruisez ce mur qui dissimule ma divinité à mon pénétrant regard, et donnez-moi des ailes pour que je puisse voler à votre suite vers les galeries de l'Univers Suprême. Ou ensorcelez mon regard pour que je puisse vous suivre vers le repaire des génies si vous êtes l'une de leurs fiancées. Si j'en vaux la peine, placez votre main sur mon coeur et prenez possession de moi.»

Ali murmurait ces mots dans l'obscurité mystique, et les fantômes de la nuit se glissèrent à ses pieds comme s'ils étaient une vapeur née de ses larmes brûlantes. Sur les murs du temple, il eut la vision de tableaux magiques peints au moyen du pinceau de l'arc-en-ciel.

Ainsi, une heure s'écoula. Ali versait des larmes, heureux de son misérable état, entendait les battements de son coeur, regardait par-delà les objets comme s'il regardait les images de la Vie qui s'effaçaient lentement, remplacées par un rêve étrange dans sa beauté et terrible dans son énormité. Comme un poète qui médite sur les étoiles du ciel en attendant la Descente des Cieux et la Révélation, il réfléchissait au pouvoir qui existe au-delà de ces contemplations. Il sentit son esprit le quitter pour rechercher parmi les temples un fragment de lui-même, inconnu et inappréciable, perdu au milieu des ruines.

L'aube apparut et le silence gronda avec le souffle de la brise. Les premiers rayons de lumière s'élancèrent, illuminant des particules d'éther, et le ciel sourit comme un rêveur qui contemple le fantôme de sa bien-aimée. Les oiseaux s'aventurèrent hors de leur sanctuaire dans les crevasses des murs et s'égaillèrent dans les galeries de colonnes en chantant leurs prières du matin.

Ali mit la main en visière devant son front et regarda en bas d'un oeil embué. Comme Adam, lorsque Dieu lui ouvrit les yeux de son souffle Tout-puissant, Ali vit de nouveaux objets, étranges et fantastiques. Puis il s'approcha de ses brebis et les appela. Elles le suivirent tranquillement vers les champs fertiles. Il les conduisit, tout en regardant le ciel comme un philosophe qui devine les secrets de l'Univers et qui médite sur eux. Il atteignit un ruisseau dont le murmure lui apaisa l'esprit, et il s'assit au bord d'une source, sous un saule dont les branches pendaient dans l'eau comme s'il buvait dans les froides profondeurs. La rosée du matin brillait sur la laine des brebis tandis qu'elles paissaient dans les fleurs et dans l'herbe verte.

Au bout de quelques instants, Ali sentit à nouveau que les battements de son coeur s'accéléraient rapidement, et son esprit commença à vibrer violemment, de façon presque visible. Comme une mère soudain tirée de son sommeil par le cri de son enfant, il se dressa soudainement et ses yeux, attirés vers elle, aperçurent une belle jeune fille qui portait sur l'épaule un récipient en terre, et qui s'approchait doucement de la partie la plus éloignée du ruisseau. Lorsqu'elle atteignit la rive et qu'elle se pencha pour remplir sa jarre, et leva les yeux et son regard rencontra celui d'Ali. Elle poussa un cri qui semblait un cri de folle, laissa tomber la jarre et s'écarta précipitamment. Puis elle se retourna, regardant Ali avec une incrédulité inquiète et angoissée.

Une minute s'écoula, dont les secondes étaient des lampes brillantes qui illuminaient leurs coeurs et leurs esprits. Leur silence amena un vague souvenir, leur révélant des images et des scènes très éloignées de ce ruisseau et de ces arbres. Ils s'entendirent mutuellement dans le silence complice en écoutant, les larmes aux yeux, leurs réciproques battements de coeur et les soupirs de leurs âmes jusqu'à ce qu'une complète connaissance s'emparât d'eux.

Toujours poussé par une puissance mystérieuse, Ali bondit par-dessus le ruisseau, s'approcha de la jeune fille, l'enlaça et imprima un long baiser sur ses lèvres. Comme si la douceur de ses caresses avait vaincu sa volonté, elle ne fit pas un mouvement. Le doux contact des bras d'Ali lui avait ôté toute force. Elle se laissa aller contre lui, comme le parfum du jasmin s'abandonne à la brise qui le porte à travers l'espace du firmament.

Elle posa la tête sur sa poitrine comme un être torturé qui a trouvé le repos. Elle soupira profondément... un soupir qui annonçait la renaissance du bonheur dans un coeur déchiré et proclamait le tourbillon des ailes qui étaient remontées après avoir été blessées et maintenues à terre.

Elle leva la tête et le regarda de toute son âme... le regard d'un être humain qui, dans un puissant silence, déprécie les mots conventionnels qu'utilisent les hommes, l'expression qui apporte une myriade de pensées dans le langage muet des coeurs. Elle avait le regard de quelqu'un qui accepte l'Amour, non comme un esprit dans un corps de mots, mais comme une réunion qui s'opère longtemps après que deux âmes aient été séparées par la terre et réunies par Dieu.

Le couple énamouré se promena au milieu des saules, et l'unicité de leurs deux moi était une langue qui parlait en faveur de leur union, un oeil qui voyait la gloire du Bonheur, un auditeur silencieux de la terrifiante révélation de l'Amour.

Les brebis continuaient à paître et les oiseaux du ciel

continuaient à planer au-dessus de leurs têtes, chantant la chanson de l'aube après le vide de la nuit. Lorsqu'ils atteignirent le bout de la vallée, le soleil apparut, jetant un manteau d'or sur les tertres et les collines. Ils s'assirent auprès d'un rocher où se cachaient les violettes. La jeune fille regarda les yeux sombres d'Ali tandis que la brise lui caressait les cheveux comme si ses mèches châtoyantes étaient des doigts qui demandaient de doux baisers. Elle avait l'impression que quelque magique et puissante douceur lui touchait les lèvres en dépit de sa volonté, et elle dit d'une voix charmante et sereine: «Ashtart a ramené nos deux esprits d'une autre vie dans celle-ci pour que nous ne soyons pas privés de la joie de l'Amour et de la gloire de la Jeunesse, oh, mon bien-aimé.»

Ali ferma les yeux comme si sa voix musicale lui apportait les images d'un rêve qu'il avait fait. Il sentit une invisible paire d'ailes le transporter de l'endroit où il se trouvait dans une étrange chambre, à côté d'un lit sur lequel reposait le cadavre d'une jeune fille dont la beauté avait été réclamée par la Mort. Il se mit à pleurer avec effroi, puis il ouvrit les yeux et vit la même jeune fille assise à côté de lui, un sourire aux lèvres. Ses yeux brillaient des rayons de la Vie. Le visage d'Ali s'éclaira et son coeur fut réconforté. Le fantôme de sa vision se retira lentement jusqu'à ce qu'il eût complètement oublié le passé et ses soucis. Les deux amants s'embrassèrent et burent ensemble le vin de leurs doux baisers jusqu'à ce qu'ils en soient enivrés. Ils s'endormirent, enlacés dans les bras l'un de l'autre jusqu'à ce que les derniers vestiges de l'ombre fussent dispersés par la Puissance Éternelle qui les avait réveillés.

ENTRE LA NUIT ET L'AUBE

Tais-toi, mon coeur, car l'espace ne peut pas
T'entendre. Tais-toi, car l'éther est si chargé
De pleurs et de gémissements qu'il ne peut
Transporter ni tes chants ni tes hymnes.

Tais-toi, car les fantômes de la nuit
Ne prêteront aucune attention au murmure
De tes secrets. Et les processions de l'éternité
Ne s'arrêteront pas devant tes rêves.

Tais-toi, mon coeur, jusqu'à ce que l'aube vienne,
Car celui qui attend patiemment le matin
Est certain de le trouver, et celui qui aime
La lumière sera aimé par elle.

Tais-toi, mon coeur, et écoute
Mon récit. Dans mon rêve, j'ai vu un rossignol
Chanter au-dessus du cratère d'un furieux
Volcan, et j'ai vu un lys lever
La tête au-dessus de la neige, et une Houri nue

Danser au milieu des tombeaux,
Et un enfant jouer en riant
Avec des crânes.

J'ai vu toutes ces images dans mon rêve, et
Lorsque j'ouvris les yeux pour regarder
Autour de moi, je vis le volcan toujours en fureur
Mais je n'entendis plus chanter le rossignol.
Et je ne le vis pas planer.

Je vis le ciel répandre de la neige
Sur les champs et les vallées et cacher sous
Un blanc linceul les corps inanimés
Des lys. Je vis une rangée de tombes devant
Le silence des Siècles, mais il n'y avait personne
Pour danser et prier
Au milieu d'elles. Je vis un tas de crânes, mais
Personne ne riait auprès d'eux, sauf le vent.

Dans mon état de veille, je vis la douleur et le chagrin.
Qu'est-il advenu de la joie et de la douceur
De mon rêve? Où s'en est allée la beauté de mon
Rêve? Et comment ces images
Ont-elles disparu?

Comment l'âme peut-elle patienter jusqu'à ce que le
Sommeil
Ravive les joyeux fantômes de l'espoir
Et du désir?

Prends garde, mon coeur, et écoute mon récit.
Hier, mon âme était comme un vieil arbre
encore solide dont les racines s'accrochaient
Dans les profondeurs de la terre, et dont les branches
Montaient vers l'Infini. Mon âme fleurissait

Au printemps et donnait ses fruits en été.
Et quand l'Automne venait, je récoltais les fruits
Sur un plateau d'argent que je déposais
Dans la rue pour les passants. Et tous ceux
Qui passaient se servaient de bon coeur et poursuivaient
Leur promenade.

Et lorsque l'Automne s'en fût en submergeant
Sa joie sous les pleurs et les lamentations,
Je regardai mon plateau et je vis qu'il n'y restait
Qu'un seul fruit. Je le pris et le mis
Dans ma bouche, mais le trouvai amer comme la bile
Et sûr comme des raisins trop durs, et je me dis
À moi-même: «Malheur à moi, car j'ai introduit
Une malédiction dans la bouche des gens
Et une maladie dans leurs corps. Qu'as-tu fait,
Mon âme, de la douce sève
Que tes racines ont sucée de la terre
Et du parfum que tu as extrait
Du ciel? Dans ma colère, j'arrachai de mon âme
Le vieil arbre solide et chacune de ses racines
Qui s'accrochaient dans les profondeurs
De la terre.

Je le déracinai du passé, et je lui arrachai
Les souvenirs de mille
Printemps et de mille Automnes, et je plantai
L'arbre de mon âme à un autre endroit.
Il se trouvait maintenant dans un champ à l'écart
De la route du Temps. Et je le soignai le jour
Et la nuit en disant: «La vigilance
Nous rapprochera des étoiles».

Je l'arrosai de sang et de larmes en disant:
«Il y a de la saveur dans le sang

Et de la douceur dans les larmes.» Lorsque le Printemps revint,
Mon arbre fleurit à nouveau, et en Été,
Il porta ses fruits. Et lorsque vint l'Automne, je récoltai
Tous les fruits mûrs sur un plateau d'or
Que j'offris sur la voie publique, mais les gens
Passaient, et personne ne voulait de mes présents.

Alors je pris un fruit et le portai
À mes lèvres. Il était doux comme un rayon de miel
Et émoustillant comme le vin de Babylone
Et parfumé comme le jasmin. Et je m'écriai:
«Les gens ne veulent pas
De bénédiction dans leur bouche ni de vérité
Dans leurs coeurs, car la Bénédiction est la fille
Des larmes et la Vérité est l'enfant du sang.»

Je quittai la bruyante cité pour m'asseoir à l'ombre
De l'arbre solitaire de mon âme,
Dans un champ à l'écart de la route du Temps.

* * * * *

Tais-toi, mon coeur, jusqu'à ce que l'aube vienne.
Tais-toi, et écoute mon récit.
Hier, mes pensées étaient un bateau navigant
Sur les vagues de la mer et se déplaçant
D'un pays à l'autre au gré du vent.
Et mon bateau était vide, à part
Sept jarres de couleurs de l'arc-en-ciel. Et le temps vint
Où je me lassai de naviguer sans but
À la surface de la mer, et je me dis:
«Je vais rentrer avec le bateau vide
De mes pensées, vers le port
De mon île natale.»

Et je m'y préparai en coloriant mon bateau en jaune
Comme le couchant, en vert comme le coeur
Du printemps, en bleu comme le ciel, en rouge
Comme l'anémone. Sur ses mâts et
Sur son gouvernail, je dessinai d'étranges figures
Qui attiraient l'attention et aveuglaient
Le regard. Lorsque j'en eus terminé, le bateau
De mes pensées semblait une vision prophétique
Naviguant entre deux Infinis,
La mer et le ciel.

J'entrai dans le port de mon île
Natale, et les gens se levèrent pour m'accueillir
Avec des chants et des cris de joie. Et la foule
M'invita à pénétrer dans la ville.
Ils grattaient leurs instruments
Et faisaient résonner leurs tambourins.

Ils me réservaient un tel accueil parce que mon bateau
Était magnifiquement décoré, et personne
N'entra pour regarder l'intérieur
Du bateau de mes pensées, ni ne demanda
Ce que j'avais rapporté d'au-delà des mers. Et
Ils n'avaient pas pu constater que j'avais
Ramené mon bateau vide, car son éclat
Les avait rendus aveugles. Sur quoi,
Je me dis: «Je les ai induits en erreur
Et avec sept jarres de peinture
J'ai trompé leurs yeux.

Ensuite, je m'embarquai sur le bateau
De mes pensées pour recommencer à naviguer. Je
Visitai les Îles Orientales. J'y récoltai
De la myrrhe, de l'encens et du bois de santal et
Je les déposai dans mon bateau... Je parcourus

Les Îles Occidentales et je ramenai de l'ivoire, des rubis
Des émeraudes et de nombreuses pierres précieuses... Je
Voyageai dans les Îles du Sud et je ramenai
Avec moi des belles armures et
Des glaives brillants et des lances
Et toute une variété d'armes... Je remplis
Le bateau de mes pensées des choses les plus choisies
Et les plus précieuses de la terre
Et je revins au port de mon île
Natale en disant: «Les gens vont à nouveau
Me glorifier, mais ce sera honnête, et ils
Vont à nouveau m'inviter à pénétrer
Dans leur ville, mais ce sera mérité.»

Et lorsque j'atteignis le port, personne
Ne vint à ma rencontre... Je parcourus les rues
De ma gloire antérieure, mais personne ne me
Regarda... Je me rendis sur la Place du Marché
Et je criai aux gens quels trésors
Contenait mon bateau, mais ils se moquèrent de moi
Et n'y prêtèrent pas attention.

Je retournai au port le coeur
Déprimé, confus et désappointé.
Et en regardant mon bateau, je vis
Quelque chose que je n'avais pas constaté durant
Mon voyage et je m'exclamai: «Les vagues
De la mer ont lavé les couleurs et
Les dessins de mon bateau et l'ont rendu
Semblable à un squelette.» Les vents et l'écume,
Ainsi que le soleil brûlant, avaient effacé
Les brillantes nuances, et mon bateau ressemblait
maintenant
À un vêtement gris en lambeaux. Je n'avais pu

Observer ces changements lorsque j'étais au milieu de
mes trésors
Car j'avais aveuglé mes yeux de l'intérieur.

J'avais rassemblé les choses les plus précieuses de
La terre, je les avais déposées dans un coffre flottant
Sur la surface des eaux et j'étais revenu vers
Mon peuple, mais ils m'ont chassé et ne pouvaient
Me voir, car les yeux avaient été trompés
Par des objets châtoyants et vides.

Alors je quittai le bateau de mes pensées
Pour la Cité des Morts, et je m'assis
Au milieu des tombes bien rangées, contemplant
Leurs secrets.

* * * * *

Tais-toi, mon coeur, jusqu'à ce que vienne l'aube.
Tais-toi, car la tempête furieuse se moque
De tes murmures intérieurs et les grottes
Des vallées ne font pas écho à la vibration de
Tes cordes.

Tais-toi, mon coeur, jusqu'à ce que vienne le Matin,
Car celui qui attend patiemment la venue
De l'aube sera ardemment étreint par
Les heures matinales.

L'aube se déchire. Parle si tu le peux,
Mon coeur. Voici la procession
Du matin... Pourquoi ne parles-tu pas?
Le silence de la nuit n'a-t-il pas laissé
Un chant dans tes profondeurs internes pour que tu
puisses
Accueillir l'aube?

Voici des essaims de colombes et
Des rossignols qui se meuvent tout au bout
De la vallée. Es-tu capable de voler
Avec les oiseaux, ou l'horrible nuit
A-t-elle affaibli tes ailes? Les bergers
Sortent leurs brebis de la bergerie.
Le fantôme de la nuit t'a-t-il laissé assez
De force pour que tu puisses marcher derrière elles
Dans les vertes prairies? Les jeunes hommes
Et les jeunes femmes se promènent avec grâce dans
Les vignobles. Es-tu capable de te lever
Et de marcher avec eux? Lève-toi, mon coeur
Et marche avec l'Aube, car la nuit est passée
Et la crainte de l'obscurité s'est évanouie avec
Ses rêves sombres, ses horribles pensées
Et ses voyages insensés.

Lève-toi, mon coeur, et chante d'une voix
Musicale, car celui qui n'accueille pas l'Aube
De ses chants est un des fils de la nuit
Éternelle.

LES SECRETS DU COEUR

Une demeure majestueuse se dressait sous les ailes de la nuit, comme la Vie se tient sous le couvert de la Mort. Une jeune femme s'y trouvait assise devant un bureau d'ivoire, et elle appuyait sa jolie tête sur sa douce main comme un lys flétri se penche sur ses pétales. Elle regarda autour d'elle comme une malheureuse prisonnière cherchant à transpercer des yeux les murs du donjon afin d'apercevoir la Vie s'avancer au milieu de la procession de la Liberté.

Les heures s'écoulaient comme les fantômes de la nuit, comme une procession entonnant l'élégie de son chagrin, et la jeune femme répandait ses larmes dans une solitude angoissée. Lorsqu'elle ne put plus résister à la pression de sa douleur, et lorsqu'elle se sentit en pleine possession des secrets entassés dans son coeur, elle prit une plume d'oie et, mélangeant ses larmes à l'encre sur le parchemin, elle écrivit:

«Ma soeur bien-aimée,

«Lorsque le coeur s'étouffe dans ses secrets et que les yeux commencent à s'emplir de larmes brûlantes, lorsqu'on a l'impression que la poitrine va éclater sous le gonflement du coeur qu'elle emprisonne, on ne trouve pas de mots pour exprimer un tel dédale sinon dans une vague de délivrance.

Les gens qui sont tristes ont plaisir à se lamenter, les amants trouvent du réconfort et de la compassion dans leurs rêves, et les opprimés sont heureux de trouver de la sympathie autour d'eux. Je t'écris aujourd'hui parce que je me sens comme un poète qui imagine la beauté des objets qu'il décrit dans ses vers lorsqu'il est dirigé par la puissance divine... Je suis comme l'enfant d'un pauvre affamé qui pleure pour qu'on le nourrisse, poussé par l'amertume de la faim, sans se préoccuper de l'état de sa malheureuse mère compatissante et de sa défaite dans l'existence.

«Écoute ma triste histoire, ma chère soeur, et pleure avec moi, car les sanglots sont comme une prière et les larmes de miséricorde sont comme une charité qui vient d'une âme vivante, sensible et bonne. Elles ne sont pas versées en vain. C'est par la volonté de mon père que j'ai épousé un homme noble et riche. Mon père était comme la plupart des riches dont la seule joie dans la vie est d'augmenter leur richesse et ajoutant plus d'or dans leurs coffres par crainte de la pauvreté et qui cherchent la grandeur de la noblesse pour prévenir l'attaque de sombres jours... Maintenant, avec tout mon amour et tous mes rêves, je me sens comme une victime, sacrifiée sur un autel d'or que je hais à un honneur héréditaire que je méprise.

«Je respecte mon mari parce qu'il est généreux et aimable envers tout le monde. Il essaie de m'apporter le bonheur, et il dépense son or pour plaire à mon coeur, mais j'ai découvert que l'impression de toutes ces choses ne vaut pas un seul moment d'amour véritable et divin. Ne te moque pas de moi, ma soeur, car je suis mainte-

nant très informée des besoins d'un coeur de femme, ce
coeur qui bat et qui est comme un oiseau volant dans le
vaste ciel de l'amour... C'est comme un vase rempli du
vin des Siècles, pressé pour les âmes assoiffées... C'est
comme un livre dans les pages duquel on trouve des
chapitres de joie et de malheur, de bonheur et de peine,
de rire et de chagrin. Personne ne peut lire un tel livre
sinon le vrai compagnon qui est l'autre moitié d'une
femme, créé pour elle depuis le commencement du
monde.

«Oui, je suis devenue très savante entre toutes les
femmes en ce qui concerne les desseins de l'âme et la
signification du coeur, car j'ai découvert que mes
magnifiques chevaux, mes superbes carrosses, mes coffres pleins d'or brillant et ma sublime noblesse ne valent
pas un seul des regards de ce pauvre jeune homme qui
m'attend patiemment et qui souffre des affres de
l'amertume et de la misère... Ce jeune homme opprimé
par la volonté cruelle de mon père et emprisonné dans
l'étroite et mélancolique geôle de la Vie...

«Je t'en prie, ma chère, ne cherche pas à me consoler
car le malheur à travers lequel j'ai compris la puissance
de mon amour est mon grand consolateur. Maintenant,
je regarde devant moi à travers mes larmes et j'attends
l'arrivée de la Mort qui me mènera là où je rencontrerai
le compagnon de mon âme. Je l'embrasserai alors comme je le faisais avant d'entrer dans cet étrange monde.

«Ne me juge pas mal, car je fais mon devoir d'épouse
fidèle et je me soumets calmement et patiemment aux
lois et aux règles de l'homme. J'honore mon mari de
tous mes sens, je le respecte dans mon coeur, je le révère
avec mon âme, mais il y a des réticences, car Dieu a
donné à mon bien-aimé une part de moi-même avant
que je ne le connaisse.

Le Ciel a voulu que je passe ma vie avec un homme

qui ne m'était pas destiné, et je perds mon temps en
silence pour obéir à sa volonté. Mais si les portes de
l'Éternité ne s'ouvrent pas, je demeurerai avec la plus
belle moitié de mon âme, et je contemplerai le passé, car
ce passé est mon présent... Je regarderai la Vie comme le
Printemps regarde l'Été et je contemplerai ses obstacles
comme quelqu'un qui a gravi le rude sentier qui mène au
sommet de la montagne.»

* * * * *

À ce moment, la jeune femme cessa d'écrire et, se
cachant le visage derrière les mains, elle pleura amèrement. Son coeur refusa de livrer à la plume ses secrets
les plus sacrés, mais il se résolut à verser des larmes
taries qui se dispersèrent aussitôt et qui se mêlèrent à la
tendre atmosphère, hâvre des âmes des amants et de
l'esprit des fleurs. Au bout d'un moment, elle prit la
plume et ajouta: «Te souviens-tu de ce jeune homme?
Te rappelles-tu les rayons qui émanaient de ses yeux, et
les marques de tristesse sur son visage? Te rappelles-tu
ce rire qui évoquait les larmes d'une mère à qui on aurait
arraché son seul enfant? Peux-tu te souvenir de sa voix
sereine parlant à l'écho d'une vallée lointaine? Te
souviens-tu comment il méditait en regardant avec
calme et avec envie des objets auxquels il adressait
d'étranges discours, et comment il penchait la tête et
soupirait comme s'il craignait de révéler les secrets de
son grand coeur? Te rappelles-tu ses rêves et ses
croyances? Te souviens-tu de tout ce qu'il y avait en ce
jeune homme que l'humanité compte parmi ses enfants,
et que mon père regardait d'un air supérieur parce qu'il
était au-dessus de l'avidité terrestre, et plus noble que la
grandeur héréditaire?

«Tu sais, ma chère soeur, que je suis un martyr de ce

monde avilissant et une victime de l'ignorance. Veux-tu partager ta sympathie avec une soeur assise dans le silence de l'horrible nuit, qui verse avec ses larmes tout le contenu de son moi intérieur et qui te révèle les secrets de son coeur? Je suis certaine que tu le feras, car je sais que l'amour a visité ton coeur.»

* * * * *

L'aube vint, et la jeune femme s'abandonna au Sommeil espérant y trouver des rêves plus doux et plus aimables que ceux qu'elle avait connus à l'état de veille...

MES COMPATRIOTES

Que cherchez-vous, oh, mes compatriotes?
Désirez-vous que je vous construise
De somptueux palais décorés
De mots vides de sens, ou
Des temples aux toits couverts de rêves? Ou
M'ordonnez-vous de détruire ce que
Les menteurs et les tyrans ont bâti?
Déracinerai-je de mes doigts
Ce que les hypocrites et les méchants
Ont planté? Faites-moi connaître
Vos désirs insensés.

Que voulez-vous que je fasse,
Oh, mes compatriotes? Vais-je ronronner
Comme un chaton pour vous satisfaire, ou rugir
Comme le lion pour mon plaisir à moi?
J'ai chanté pour vous, mais vous n'avez pas
Dansé. J'ai sangloté devant vous, mais
Vous n'avez pas pleuré. Dois-je chanter
Et gémir en même temps?

Vos âmes souffrent des affres
De la faim, et cependant le fruit
De la connaissance a plus de plénitude que
Les cailloux des vallées.

Vos coeurs sont altérés de
Soif, et cependant les sources
De la Vie coulent autour de vos
Demeures. Pourquoi ne buvez-vous pas?
La mer a son flux et son reflux,
La lune a son plein et ses
Croissants, les Siècles ont
Leur hiver et leur été, et tout
Ici-bas change comme l'ombre
D'un Dieu qui ne serait pas né et qui erre
Entre la Terre et le Soleil, mais la Vérité
Ne change pas, et elle ne disparaîtra pas.
Pourquoi osez-vous, dès lors,
Défigurer son contenu?

Je vous ai appelés dans le silence
De la nuit pour vous montrer
La gloire de la lune et la dignité
Des étoiles, mais vous vous êtes réveillés
En sursaut et vous avez empoigné
Vos glaives avec terreur en criant:
«Où est l'ennemi? Nous devons d'abord
Le tuer!» Et le matin, lorsque
L'ennemi est venu, je vous ai appelés
À nouveau, mais vous n'êtes pas sortis
De votre sommeil, car vous étiez
Enfermés dans votre peur, luttant
Avec les cortèges de spectres de
Vos rêves.

Et je vous ai dit: «Grimpons
Au sommet de la montagne et contemplons
La Beauté du monde.» Et vous
M'avez répondu en disant: «Nos pères
Ont vécu dans les profondeurs de cette vallée,
Ils sont morts dans son ombre et ils ont
Été enterrés dans ses grottes. Comment
Pourrions-nous quitter cet endroit pour un autre
Qu'ils n'ont pas honoré de leur présence?»

Et je vous ai dit: «Allons
Dans la plaine qui répand sa bonté dans
La mer.» Et vous m'avez timidement
Répondu en disant: «Le grondement des abîmes
Épouvante nos esprits,
Et la terreur des profondeurs anéantira
Nos corps.»

* * * * *

Je vous ai aimés, oh, mes compatriotes, mais
L'amour que je vous porte m'est pénible
Et ne vous sert à rien. Et aujourd'hui,
Je vous hais, et la haine est un flux
Qui balaie les branches mortes
Et les maisons branlantes.

J'ai eu pitié de votre faiblesse, oh,
Mes compatriotes, mais ma pitié n'a fait
Qu'accroître votre déficience, qu'exalter
Et nourrir votre paresse qui
N'apporte rien à la Vie. Et aujourd'hui,
Je suis témoin de votre infirmité que mon âme réprouve
Et craint.

J'ai pleuré sur votre humiliation
Et sur votre soumission. Et mes larmes ont coulé
Comme des perles de cristal, et elles n'ont pu guérir
Votre stagnante faiblesse. Mais elles ont ôté
Le voile de mes yeux.

Mes larmes n'ont jamais atteint
Vos coeurs pétrifiés, mais elles ont balayé
L'obscurité de mon moi intérieur.

Aujourd'hui, je me moque de vos souffrances,
Car le rire est un furieux tonnerre
Qui précède la tempête et ne la suit
Jamais.

Que désirez-vous, oh, mes compatriotes?
Voulez-vous que je vous montre
Le fantôme de votre aspect sur
La surface de l'eau calme? Venez,
Et voyez comme vous êtes laids!
Voyez et méditez! La peur
Vous a donné des cheveux gris comme
La cendre, et votre vie désordonnée
Se traduit dans vos yeux dont elle a fait
Des trous sombres, et la lâcheté
A touché vos joues qui ne sont plus
Que d'effrayants creux dans la vallée, et la Mort
A embrassé vos lèvres, et les a jaunies
Comme les feuilles d'Automne.

Que cherchez-vous, oh, mes
Compatriotes? Qu'attendez-vous de la
Vie qui ne vous compte plus désormais
Parmi ses enfants?

Vos âmes se glacent dans les
Griffes des prêtres et
Des sorciers, et vos corps
Tremblent sous la patte des
Despotes et de ceux qui
Répandent le sang. Votre pays tremble
Sous la botte de
L'ennemi conquérant. Que pouvez-vous
Espérer même si vous vous tenez
Fièrement devant la face
Du soleil? Vos glaives sont rouillés
Dans leurs fourreaux, vos lances sont
Brisées et vos boucliers sont
Percés de trous. Pourquoi, dès lors,
Restez-vous sur le champ de bataille?

L'hypocrisie est votre religion, la
Fausseté est votre vie et
Le néant est votre fin. Pourquoi, dès lors,
Vivez-vous? La mort n'est-elle pas
Le seul réconfort des
Malheureux?

* * * * *

La vie est une résolution qui
Accompagne la jeunesse, et une application
Qui suit la maturité, et une
Sagesse qui combat la sénilité. Mais
Vous, oh, mes compatriotes, vous êtes nés vieux
Et faibles. Votre peau s'est desséchée,
Vos têtes se sont rétrécies et vous êtes
Devenus comme des enfants qui courent
Dans la fange et qui se lancent
Des pierres les uns aux autres.

La connaissance est un flambeau qui enrichit
La chaleur de la vie, et quiconque
La recherche peut en profiter. Mais vous,
Oh, mes compatriotes, vous recherchez l'obscurité,
Vous fuyez la lumière, vous attendez
Que l'eau jaillisse du roc
Et les malheurs de votre nation sont votre
Crime... Je ne vous pardonne pas
Vos péchés, car vous savez ce que
Vous faites.

L'humanité est une rivière brillante
Qui court en chantant et qui porte avec elle
Les secrets de la montagne jusqu'au
Coeur de la mer. Mais vous,
Oh, mes compatriotes, vous n'êtes
Qu'un marais stagnant infesté d'insectes.
Et de vipères.

L'Esprit est une flamme bleue
Et sacrée qui brûle et qui dévore
Les plantes sèches, qui grandit
Avec la tempête et qui illumine
Les visages des déesses. Mais
Vous, oh, mes compatriotes... Vos âmes
Sont comme des cendres que le vent
Disperse sur la neige et que la tempête
Répand pour toujours dans
Les vallées.

Ne craignez pas le fantôme de la Mort,
Oh, mes compatriotes, car sa grandeur
Et sa miséricorde refuseront d'approcher
Votre petitesse. Et ne craignez pas
La dague, car elle refusera de
S'enfoncer dans vos coeurs peu profonds.

Je vous hais, oh, mes compatriotes, car
Vous haïssez la gloire et la grandeur. Je
Vous méprise parce que vous vous méprisez
Vous-mêmes. Je suis votre ennemi, car
Vous refusez de comprendre que vous êtes
Les ennemis des déesses.

JEAN LE FOU

En été, Jean se rendait tous les matins aux champs. Il conduisait ses boeufs et il portait sa charrue sur l'épaule, écoutant le chant apaisant des oiseaux, et le murmure des feuilles et des hautes herbes.

À midi, il s'asseyait près d'un ruisseau, dans la prairie pleine de couleurs, pour prendre son repas. Il ne manquait jamais d'en laisser quelques miettes sur l'herbe verte pour les oiseaux du ciel.

Le soir, il retournait vers sa masure délabrée qui se trouvait à l'écart des hameaux et des villages du Nord Liban. Après le repas du soir, il s'asseyait pour écouter attentivement ses parents qui racontaient des histoires du temps passé, jusqu'au moment où le sommeil s'emparait de lui et lui fermait les yeux.

En hiver, il passait ses journées près de l'âtre, réfléchissant aux gémissements du vent et aux lamentations des éléments, songeant au phénomène des saisons et regardant par la fenêtre les vallées couvertes de neige et les arbres dénudés. Ceux-ci symbolisaient pour lui

une multitude de gens qui souffraient sous la morsure
d'un froid cruel et sous l'assaut de vents violents.

Pendant les longues nuits d'hiver, il demeurait assis
jusqu'à ce que ses parents aillent se coucher. Il ouvrait
alors un placard de bois grossier, il en tirait son
Nouveau Testament et le lisait en secret sous la pâle
lumière d'une lampe vacillante. Les prêtres condam-
naient la lecture du Bon Livre, et Jean se montrait très
prudent durant ces fascinants moments d'étude. Les
Pères mettaient les âmes simples en garde contre l'usage
de la Bible, et ils les menaçaient d'excommunication
s'ils étaient trouvés en possession d'un exemplaire.

Ainsi Jean passa sa jeunesse entre la magnifique terre
de Dieu et le *Nouveau Testament*, plein de lumière et de
vérité. Jean était un jeune homme silencieux et con-
templatif. Il écoutait les conversations de ses parents, et
jamais il ne disait un mot ni ne posait une question. Lorsqu'il était assis en compagnie de ses contemporains, il
regardait fixement l'horizon, et ses pensées étaient aussi
lointaines que son regard. Chaque fois qu'il s'était rendu à l'église, il revenait à la maison l'âme déprimée, car
les enseignements des prêtres étaient différents des
préceptes qu'il découvrait dans les Saintes Écritures, et
la vie des fidèles n'était pas la vie magnifique dont
parlait le Christ.

* * * * *

Le printemps vint, et la neige se mit à fondre dans les
champs et dans les vallées. Au sommet des montagnes,
le dégel gagnait du terrain, formant de nombreux
ruisselets sur les sentiers tortueux qui menaient dans les
vallées. Ceux-ci se réunissaient en un torrent dont le
grondement évoquait le réveil de la Nature. Les aman-
diers et les pommiers étaient en pleine floraison. Les

saules et les peupliers se couvraient de bourgeons et la Nature avait jeté sur le paysage ses joyeux vêtements aux couleurs vives.

Jean, fatigué de passer ses journées auprès de l'âtre, et sachant que ses boeufs aspiraient à retrouver leurs pâturages, les fit sortir de l'étable et les conduisit aux champs, cachant son Nouveau Testament sous son manteau de crainte qu'on ne le trouve. Il atteignit un bel arbre qui se trouvait au bord d'un champ appartenant au Monastère de Saint-Élie (*) qui se dressait majestueusement sur une colline voisine. Pendant que ses boeufs commençaient à paître, Jean s'adossa à un rocher et se mit à lire son Nouveau Testament en méditant sur la tristesse des enfants de Dieu en ce monde et sur la beauté du Royaume des Cieux.

C'était le dernier jour du Carême et les villageois qui s'abstenaient de manger de la viande attendaient impatiemment l'arrivée de Pâques. Jean, comme le reste des pauvres fellahs, n'avait jamais vu la différence entre le Carême et les autres jours de l'année, car toute sa vie n'avait été qu'un carême prolongé, et sa nourriture ne dépassait jamais le simple pain malaxé avec les souffrances de son coeur, ou les fruits achetés avec son sang. La seule nourriture que Jean désirait ardemment pendant le carême était la nourriture spirituelle: le pain céleste qui inondait son coeur des tristes pensées relatives à la tragédie du Fils de l'Homme et de la fin de Son existence sur cette terre.

Les oiseaux chantaient et planaient autour de lui, et des nuées de colombes tournaient en cercles dans le ciel, tandis que les fleurs se balançaient sous la brise comme

---

(*) Une riche abbaye du Nord Liban, propriétaire de vastes terres, habitée par des dizaines de moines appelées Alepins. (Note de l'Éditeur)

si elles étaient ragaillardies par l'éclat brillant du soleil.

Jean était absorbé par la lecture du Livre et quand il interrompait son intense et vivifiante lecture, il observait les dômes des églises des villages proches et il écoutait le rythme des cloches qui sonnaient. Parfois, il fermait les yeux et s'envolait sur les ailes de ses rêves vers l'Antique Jérusalem, suivant les pas du Christ et interrogeant les gens de la ville sur le Nazaréen. Et ceux-ci répondaient: «Ici, Il a guéri les paralytiques et rendu la vue aux aveugles. Là, Il s'est tissé une couronne d'épines et Se l'est mise sur la tête. Du haut de ce perron, Il s'est adressé à la multitude avec de belles paraboles. Dans ce Palais, on L'a lié aux colonnes de marbre et on L'a fouetté. Sur cette route, Il a pardonné ses péchés à la femme adultère, et à cet endroit, Il a succombé sous le poids de Sa Croix.»

* * * * *

Une heure s'écoula pendant laquelle Jean souffrit physiquement avec Dieu et Le glorifia en esprit. Midi arriva bientôt, et les boeufs avaient disparu à la vue de Jean. Il regarda dans toutes les directions sans les voir et lorsqu'il atteignit le sentier qui menait aux champs voisins, il aperçut au loin un homme qui se trouvait au milieu des vergers. En s'approchant, il vit que c'était l'un des moines du monastère, il le salua, s'inclina avec respect et lui demanda s'il avait vu les boeufs. Le moine sembla réfréner sa colère et il dit: «Oui, je les ai vus. Suis-moi, et je te les montrerai». Lorsqu'ils arrivèrent au monastère, Jean trouva ses boeufs attachés par des cordes dans une étable. L'un des moines leur servait de gardien et chaque fois qu'un des animaux bougeait, il le frappait sur le dos avec un gros bâton. Jean fit un effort désespéré pour détacher les animaux sans défense, mais le moine le saisit par son manteau et le retint. En même temps, il se tourna vers le monastère et cria: «Voici le berger criminel! Je l'ai trouvé!». Les prêtres et les moines, précédés par le Supérieur, accoururent sur les lieux et encerclèrent Jean qui était ahuri et qui eut l'impression d'être prisonnier. «Je n'ai rien fait pour mériter d'être traité comme un criminel», dit-il au Supérieur. Et celui-ci répondit d'un ton courroucé: «Tes boeufs ont ruiné nos plantations et détruit nos vignes. Puisque tu es responsable des dommages, nous ne te les rendrons pas avant que tu ne nous aies dédommagés.»

Jean protesta: «Je suis pauvre et je n'ai pas d'argent. Je vous en prie, relâchez mes boeufs et je m'engage sur l'honneur à ne plus jamais les ramener sur vos terres.» Le Père Supérieur fit un pas en avant, leva la main vers le ciel et dit: «Dieu a fait de nous les protecteurs de ce vaste territoire de St-Élie, et nous avons le devoir sacré de le garder de toutes nos forces, car cette terre est sacrée et, comme le feu, elle brûlera quiconque tentera de s'y introduire. Si tu refuses de payer pour ton crime envers Dieu, l'herbe qu'ont broutée tes boeufs se changera en poison qui les détruira sûrement!»

Le Supérieur s'apprêta à partir, mais Jean toucha sa robe et le supplia d'un ton humble: «J'en appelle à vous au nom de Jésus et de tous les Saints et je vous supplie de nous rendre la liberté, à moi et à mes animaux. Soyez gentils à mon égard, car je suis pauvre, et les coffres du monastère sont bourrés d'or et d'argent. Soyez miséricordieux envers mes pauvres vieux parents dont l'existence dépend de moi. Dieu me pardonnera si je vous ai fait tort.» Le Supérieur le regarda avec sévérité et dit: «Pauvre ou riche, le monastère ne peut pas te faire quitte de tes dettes. Pour trois dinars, nous libérerons tes boeufs». Jean plaida: «Je ne possède pas la moindre pièce. Ayez pitié d'un pauvre herbager, mon père!» Et le Supérieur répliqua: «Alors, il te faut vendre une partie de tes biens pour nous apporter trois dinars, car il vaut mieux entrer dans le Royaume de Dieu sans rien posséder que d'attirer sur toi la colère de St-Élie et de descendre en enfer.» Les autres moines hochèrent la tête dans un geste d'approbation.

Après un court silence, le visage de Jean s'éclaira et ses yeux brillèrent comme si la peur et la servilité avaient déserté son coeur. Il redressa la tête, regarda le Supérieur et s'adressa hardiment à lui: «Les pauvres déshérités doivent-ils vendre leurs pitoyables possessions qui sont la source de leur pain quotidien pour ajouter de l'or à la richesse du monastère? Est-il juste que l'on opprime les malheureux et qu'on les rende plus pauvres encore pour que St-Élie puisse pardonner aux boeufs le tort qu'ils ont innocemment causé?» Le Supérieur leva les yeux au ciel et s'écria: «Il est écrit dans le Livre de Dieu que celui qui possède beaucoup doit recevoir davantage et que celui qui n'a rien doit être dépouillé.»

En entendant ces mots, Jean fut pris de colère et comme un soldat qui dégaine son épée devant l'ennemi, il brandit le Nouveau Testament qu'il tira de sa poche et s'écria: «C'est donc ainsi, hypocrite, que tu déformes les enseignements du Christ! Et c'est ainsi que tu pervertis l'héritage le plus sacré de la vie afin de répandre tes mauvaises actions... Malheur à toi quand le Fils de l'Homme reviendra, Il détruira ton monastère, en dispersera les débris dans la vallée, réduira en cendres tes reliquaires et tes autels... Malheur à toi quand la colère du Nazaréen descendra sur toi et te précipitera au fond des abîmes... Malheur à vous, adorateurs des idoles de l'avidité, qui cachez la laideur de la haine sous vos soutanes noires. Malheur à vous, ennemis de Jésus, qui priez du bout des lèvres pendant que vos coeurs s'emplissent de concupiscence. Malheur à vous dont le corps s'agenouille devant les autels pendant que vos esprits se révoltent contre Dieu. Vous êtes souillés par le péché que vous commettez en me punissant d'avoir foulé les terres que mes ancêtres et moi-même vous ont payées. Vous vous êtes moqués de moi quand j'ai demandé votre miséricorde au nom du Christ. Toi, Père Supérieur, prends ce Livre et montre à tes moines souriants à quel moment le Fils de Dieu aurait refusé de pardonner... Lis cette tragédie céleste et dis-leur à quel endroit il aurait renoncé à parler de miséricorde et de bonté, que ce soit dans le Sermon sur la Montagne, ou au Temple. N'a-t-il pas pardonné ses péchés à la femme adultère? N'a-t-il pas ouvert les mains sur la Croix pour embrasser l'humanité? Regarde nos maisons délabrées, où les malades souffrent sur leurs durs grabats... Regarde derrière les barreaux des prisons, où l'innocent est victime de l'oppression et de l'injustice... Regarde les mendiants qui tendent leurs mains pour demander l'aumône, le coeur humilié et le corps brisé... Pense à ces fidèles qui sont tes esclaves et qui souffrent des affres de la faim pendant que tu vis dans le luxe et l'indifférence, que tu goûtes les fruits des vergers et le vin des vignobles. Jamais tu n'as visité les malades ni consolé les affligés, ni nourri les affamés. Jamais tu n'as offert un refuge au voyageur, ni donné ta sympathie aux infirmes. Et pourtant, ce que tu as chapardé à nos ancêtres ne te suffit pas et tu continues à étendre les mains comme des têtes de vipères afin de t'emparer, sous la menace de l'enfer, du peu de bien qu'une veuve a épargné par un travail épuisant ou qu'un malheureux fellah a mis de côté pour faire vivre ses enfants!»

Jean prit une profonde inspiration, puis sa voix s'apaisa et il ajouta sur un ton plus calme:«Vous êtes nombreux et je suis seul... Vous pouvez faire de moi ce

que vous voulez. Les loups s'acharnent sur l'agneau
dans l'obscurité de la nuit, mais les taches de sang subsistent sur les pierres de la vallée jusqu'à la venue de
l'aube. Alors, le soleil révèle le crime à tous.»

Il y avait, dans le discours de Jean, un pouvoir magique qui retenait leur attention et qui emplissait le coeur
des moines d'une colère défensive. Ils tremblaient de
fureur et n'attendaient que l'ordre de leur Supérieur
pour tomber sur Jean et le soumettre à leur merci. Le
bref silence qui suivit fut comme le pesant calme de la
tempête après qu'elle ait dévasté les jardins. Le
Supérieur s'adressa à ses moines et leur dit: «Enchaînez
ce criminel, prenez-lui le Livre et jetez-le dans un sombre cachot, car celui qui blasphème les saints représentants de Dieu n'obtiendra son pardon ni sur cette terre
ni dans l'Éternité.» Les moines sautèrent sur Jean, lui
mirent les menottes et le conduisirent dans une étroite
prison où ils l'enfermèrent.

Celui qui participe à la soumission, à la fourberie ou à
la tyrannie de ce pays esclave que les Orientaux ap-
pellent «La Fiancée de la Syrie» et «La Perle de la
Couronne du Sultan» ne peut percevoir ni comprendre
le courage montré par Jean. Et dans sa cellule, celui-ci
songea à l'inutile malheur apporté à ses compatriotes
par l'emprise de ces choses qu'il venait tout juste
d'apprendre. Il eut un sourire de triste compassion, et ce
sourire était empreint de souffrance et d'amertume: de
celles qui s'insinuent au plus profond du coeur, qui ne
laissent dans l'âme qu'un étouffant sentiment de futilité
et qui, si on ne les réfrène pas, montent aux yeux et s'en
échappent en larmes.

Jean demeura vaillemment debout et regarda à
travers la meurtrière qui faisait face à la vallée en-
soleillée. Il eut l'impression qu'une joie spirituelle lui
embrassait l'âme et qu'une douce tranquillité s'emparait

de son coeur. Ils avaient emprisonné son corps, mais son esprit voguait librement avec la brise parmi les tertres et les prairies. Son amour pour Jésus n'avait jamais changé, et les mains qui le torturaient ne pouvaient lui enlever la paix du coeur, car la persécution ne peut faire de mal à celui qui est du côté de la Vérité. N'est-ce pas pour la Vérité que Paul avait été lapidé? C'est notre moi intérieur qui nous fait mal quand nous lui désobéissons et qui nous tue quand nous le trahissons.

* * * * *

Les parents de Jean furent informés de son incarcération et de la confiscation des boeufs. Sa vieille mère se rendit au monastère en s'appuyant lourdement sur son bâton et elle se prosterna devant le Supérieur en lui baisant les pieds et en lui demandant grâce pour son fils unique. Le Supérieur leva respectueusement la tête vers le ciel et dit: «Nous pardonnerons à ton fils sa folie, mais Saint Élie ne pardonne jamais à celui qui fait intrusion sur ses terres.» Après l'avoir regardé de ses yeux pleins de larmes, la vieille femme détacha de son cou un médaillon d'argent et le tendit au Supérieur en disant: «Voici mon bien le plus précieux. Il m'a été donné par ma mère comme cadeau de noces... Voulez-vous l'accepter pour effacer les péchés de mon fils?»

Le Supérieur prit le médaillon et le mit dans sa poche. Puis il regarda la vieille mère de Jean qui lui baisait les mains et qui lui exprimait ses remerciements et sa gratitude, et il dit: «Malheur à cette époque du péché. Elle détourne le sens du Livre Saint, rend les enfants arrogants et fait grincer les dents des parents. Allez donc, ma brave femme, et priez Dieu pour votre fils qui est fou, en Lui demandant de guérir son esprit.»

Jean quitta la prison, et s'en retourna tranquillement

aux côtés de sa mère en poussant ses boeufs devant lui.
Lorsqu'ils arrivèrent à leur masure délabrée, il conduisit
les animaux à leur mangeoire et vint s'assoir silencieusement à la fenêtre en méditant sur le coucher du soleil.
Au bout d'un moment, il entendit son père murmurer à
sa mère: «Sara, je t'ai dit bien souvent que Jean était
fou, et tu ne voulais pas me croire. Maintenant, après ce
que tu as vu, je suppose que tu en seras d'accord, car le
Père Supérieur t'a exactement dit aujourd'hui ce que je
te disais les années précédentes.» Jean continua à
regarder le lointain horizon en observant le soleil qui se
couchait.

* * * * *

Pâques arriva, et à ce moment, la construction d'une
nouvelle église dans la ville de Bcharré venait de
s'achever. Ce magnifique lieu du culte était comme un
palais princier dressé au milieu des huttes de pauvres sujets. Les gens observaient les préparatifs de la réception
d'un prélat qui devait présider aux cérémonies
religieuses par lesquelles on allait inaugurer le nouveau
temple. Ils se pressaient en rangs serrés le long de la
route pour assister à l'arrivée de Sa Grâce. Le chant des
prêtres, à l'unisson avec le bruit des cymbales et les
hymnes de la foule, emplissait le ciel.

Le prélat arriva enfin, monté sur un magnifique
cheval harnaché d'une selle à clous d'or, et lorsqu'il mit
pied à terre, les prêtres et les personnalités politiques
l'accueillirent avec les plus beaux discours de bienvenue.
On l'escorta jusqu'au nouvel autel où il revêtit les
vêtements liturgiques, ornés de fils d'or et de brillantes
pierres précieuses. Il portait la couronne d'or, et il marcha en procession autour de l'autel, tenant une crosse
garnie de joyaux. Il était suivi par les prêtres et par les
porteurs de cierges et d'encensoirs.

Pendant ce temps, Jean se tenait sur le porche avec les fellahs. Il poussait d'amers soupirs et il avait le regard triste car il était peiné de voir ces chasubles coûteuses, cette précieuse couronne, cette crosse, ces vases sacrés et d'autres objets inutilement extravagants alors que les malheureux fellahs qui étaient venus des villages environnants pour célébrer l'occasion étaient rongés par les affres de la misère. Leurs tuniques en lambeaux et leurs visages tristes trahissaient leur misérable état.

Les riches dignitaires, ornés de médailles et de rubans, se tenaient à une certaine distance et priaient à haute voix tandis que les malheureux villageois, à l'arrière de la scène, se frappaient la poitrine et récitaient une sincère prière qui jaillissait des profondeurs de leurs coeurs brisés.

L'autorité de ces dignitaires et de ces chefs étaient comme le feuillage persistant des peupliers, tandis que la vie de ces fellahs était comme un bateau qui aurait perdu son pilote et qui, le gouvernail brisé et les voiles déchirées par le vent furieux, était livré à la merci des profondeurs déchaînées et de la tempête qui faisait rage.

La tyrannie et la soumission aveugle... Lequel de ces deux éléments avait donné naissance à l'autre? La tyrannie est-elle un arbre puissant qui ne pousse pas dans une terre peu profonde, ou est-ce la soumission qui ressemble à un champ désert où ne poussent que des ronces? Ces pensées et ces considérations s'emparaient de l'esprit de Jean pendant que se déroulaient les cérémonies. Il se croisa les bras sur la poitrine de peur qu'elle n'éclate de détresse devant l'état du peuple dans cette tragédie des contraires.

Il regarda les créatures flétries de cette triste humanité dont les coeurs étaient secs et dont la descendance cherchait refuge dans le sein de la terre comme des pèlerins bannis cherchent à renaître dans un nouveau royaume.

Au moment où la cérémonie se terminait et où la foule s'apprêtait à se disperser, Jean sentit qu'une puissance irrésistible le poussait à parler en faveur des pauvres opprimés. Il se dirigea vers l'extrémité de la place, leva les mains vers le ciel et, comme la foule se rassemblait autour de lui, il ouvrit les lèvres et dit: «Oh, Jésus qui est assis au coeur du cercle de lumière, écoute-moi! Depuis le dôme bleu du ciel, regarde cette terre et vois comment les ronces ont étouffé les fleurs que Ta vérité y a plantées.

«Oh, Bon Pasteur, les loups se sont jetés sur le faible agneau que Tu as porté dans Tes bras. Ton sang pur s'est écoulé dans les profondeurs de la terre que Tes pieds ont rendu sacrée. Tes ennemis ont fait de cette bonne terre une arène où les forts écrasent les faibles. Ceux qui sont assis sur les trônes et qui prêchent Ta parole n'entendent plus les cris des misérables et les lamentations des délaissés. Les agneaux que Tu as envoyés sur cette terre sont devenus des loups qui dévorent celui que tu as porté dans Tes bras et que Tu as béni.

«Le mot de lumière qui a jailli de Ton coeur a disparu des Écritures et il a été remplacé par un grondement terrifiant et terrible qui glace l'esprit.

«Oh, Jésus, ils ont construit ces églises pour leur plus grande gloire, et ils les ont ornées de soie et d'or fondu... Ils ont abandonné dans la nuit froide les corps des pauvres que Tu avais choisis, vêtus de tuniques en haillons... Ils ont empli le ciel de la fumée des cierges et de l'encens et ils ont privé de pain les corps de tes fidèles adorateurs... Ils ont entonné des hymnes de louange, mais ils sont restés sourds aux pleurs et aux gémissements des veuves et des orphelins.

«Reviens, oh Jésus vivant, et chasse les vendeurs de Ta foi de Ton temple sacré, car ils en ont fait une sombre grotte où rampent en abondance les vipères de l'hypocrisie et de la fausseté.»

Les paroles de Jean, fortes et sincères, provoquèrent un murmure d'approbation, et l'approche des dignitaires ne le fit pas taire. Avec un courage accru, renforcé par le souvenir de sa précédente mésaventure, il poursuivit: «Viens, oh, Jésus, et réclame des comptes à ces Césars qui ont enlevé aux faibles ce qui appartient aux faibles, et à Dieu ce qui appartient à Dieu. La vigne que Tu as plantée de Ta main droite a été rongée par les vers de l'avidité, et ses grappes ont été piétinées. Tes fils de la paix sont divisés et ils se battent entre eux, laissant de pauvres âmes comme victimes dans le champ hivernal. Devant Ton autel, ils élèvent leurs prières en disant: «Gloire à Dieu au plus haut des Cieux et Paix sur la terre aux hommes de bonne volonté». Mais Notre Père dans les Cieux se sent-il glorifié lorsque son nom est prononcé par des coeurs vides, par des lèvres coupables et par des langues hypocrites? Y aura-t-il la paix sur la terre tant que les enfants de la misère peineront comme des esclaves dans les champs pour nourrir les forts et emplir l'estomac des tyrans? La paix viendra-t-elle jamais, et les sauvera-t-elle des griffes du dénuement?

«Qu'est-ce que la paix? Est-elle dans les yeux de ces enfants qui se nourrissent aux seins taris de leurs mères affamées dans des huttes glaciales? Est-elle dans les masures délabrées des affamés qui dorment sur de dures couches et qui aspirent à recevoir une seule bouchée de la nourriture dont les moines et les prêtres gavent leurs gros cochons?

«Qu'est-ce que la joie, oh, Beau Jésus? Se manifeste-t-elle lorsque l'Émir achète les bras puissants des hommes et l'honneur des femmes pour quelques pièces d'argent, ou en les menaçant de mort? Ou la trouve-t-on dans l'esclavage et dans la soumission du corps et de

l'âme à ceux qui éblouissent nos regards de leurs bijoux
étincelants et de leurs diadèmes d'or? Chaque fois que
nous nous plaignons auprès de Tes faiseurs de paix, ils
nous récompensent en nous envoyant des soldats armés
de glaives et de lances, qui piétinent nos femmes et nos
enfants et nous volent notre sang.

«Oh Jésus, plein d'amour et de compassion, étends
Tes bras puissants et protège-nous de ces voleurs, ou en-
voie la Mort compatissante nous délivrer et nous conduire aux tombeaux où nous reposerons en paix sous
l'attentive protection de Ta Croix. C'est là que nous at-
tendrons Ton retour. Oh, Jésus Tout-puissant, cette vie
n'est rien qu'une sombre prison d'esclaves... C'est le
terrain de jeux d'horribles fantômes, et c'est un gouffre
qui grouille des spectres de la mort. Nos jours ne sont
que des glaives acérés, cachés sous les couvertures en
lambeaux de nos lits dans l'effrayante obscurité de la
nuit. À l'aube, ces armes se dressent au-dessus de nos
têtes comme des démons et nous montrent les champs
où nous trimerons sous le fouet comme des esclaves.

«Oh, Jésus, aie pitié des pauvres opprimés qui sont
venus aujourd'hui commémorer Ta résurrection...
Plains-les, car ils sont faibles et malheureux.»

Les propos de Jean satisfaisaient les uns et
déplaisaient aux autres. «Il dit la vérité, et il parle au
Ciel en notre faveur,» remarqua quelqu'un. Et un autre
dit: «Il est ensorcelé, car il parle au nom d'un esprit
mauvais.» Un troisième commenta: «Nous n'avons
jamais entendu un discours aussi infâme, même pas
chez nos pères! Il faut y mettre fin!» Et un quatrième
murmura à l'oreille de son voisin: «J'ai senti un nouvel
esprit se développer en moi en l'écoutant parler.» Mais
un autre ajouta: «Les prêtres connaissent mieux que lui
nos besoins. C'est un péché de douter d'eux». Tandis
que des voix s'élevaient de partout comme le gronde-

ment de la mer, un des prêtres s'approcha, s'empara de Jean et le remit aux représentants de la loi qui l'emmenèrent au Palais du Gouverneur pour y faire son procès.

Au cours de son interrogatoire, Jean ne dit pas un seul mot, car il savait que le Nazaréen s'était résolu à se taire devant Ses persécuteurs. Le Gouverneur ordonna que Jean fut jeté en prison où il s'endormit cette nuit-là, paisiblement et le coeur content, la tête appuyée contre le mur de pierre du donjon.

Le lendemain, le père de Jean vint affirmer au Gouverneur que son fils était fou, et il ajouta tristement: «À de nombreuses reprises, je l'ai entendu se parler à lui-même et proférer des tas de choses étranges que personne ne pouvait voir ni comprendre, en utilisant des mots imprécis. Je l'ai entendu appeler les fantômes avec la voix d'un sorcier. Vous pouvez interroger les voisins qui lui ont parlé et qui ont compris sans aucun doute qu'il était fou. Il ne répondait jamais quand on lui parlait, et quand il parlait, il utilisait des mots au sens caché et des phrases auxquelles l'interlocuteur ne comprenait rien et qui n'avaient aucun rapport avec le sujet. Sa mère le connaît bien. Plusieurs fois, elle l'a vu qui regardait le lointain horizon d'un regard fixe, en parlant avec passion des ruisseaux, des fleurs et des étoiles, comme un petit enfant. Interrogez les moines qu'il critiquait et dont il tournait les enseignements en dérision pendant leur saint Carême. Il est fou, Votre Excellence, mais il est très gentil pour moi et pour sa mère. Il fait tout ce qu'il peut pour nous aider dans nos vieux jours et il travaille dur pour nous nourrir, pour nous vêtir et pour nous garder en vie. Ayez pitié de lui et de nous.»

Le Gouverneur relâcha Jean, et la nouvelle de sa folie se répandit dans le village. Et lorsque les gens parlaient de lui, c'était avec moquerie et dérison. Les jeunes filles le regardaient avec des yeux pleins de tristesse et disaient: «Le Ciel a d'étranges voies envers l'homme... Dieu a mêlé la beauté et la folie en ce jeune homme, et il a uni l'aimable éclat de ses yeux à l'obscurité de son moi invisible.»

* * * * *

Au milieu des champs et des prairies de Dieu, près des tertres tapissés d'herbe verte et de jolies fleurs, le fantôme de Jean, solitaire et tourmenté, observe les boeufs qui paissent paisiblement sans être troublés par les épreuves de l'homme. Les yeux pleins de larmes, il regarde les villages éparpillés des deux côtés de la vallée et répète, en poussant de profonds soupirs: «Vous êtes nombreux et je suis seul. Les loups s'acharnent sur l'agneau dans l'obscurité de la nuit, mais les taches de sang subsistent sur les pierres de la vallée jusqu'à la venue de l'aube. Alors, le soleil révèle le crime à tous.»

LA HOURI ENCHANTERESSE

Où me mènes-tu, oh, Houri
Enchanteresse, et combien de temps vais-je te suivre
Sur ce rude chemin
Semé d'épines? Combien de temps nos âmes vont-elles
Monter et descendre péniblement ce sentier
Rocailleux et tortueux?

Comme un enfant qui suit sa mère,
Je te suis, en tenant l'extrême bout
De ta robe, oubliant mes rêves
Et contemplant ta beauté, m'aveuglant
Les yeux sous le charme
De la procession de spectres qui planent
Au-dessus de moi, et attiré vers toi
Par une force qui est en moi et que je ne puis nier.

Arrête-toi un moment pour que je contemple
Ton visage. Et regarde-moi un instant.
Peut-être apprendrai-je les secrets
De ton coeur à travers tes yeux

Étranges. Arrête-toi et repose-toi car je suis fatigué.
Et mon âme est saisie de crainte
Sur cette horrible piste. Arrête-toi,
Car nous avons atteint ce terrible carrefour
Où la Mort embrasse la Vie.

* * * * *

Oh, Houri, écoute-moi! J'étais libre
Comme l'oiseau, explorant les vallées
Et les forêts, et volant dans l'espace
Du ciel. Le soir, je me reposais
Sur les branches des arbres, et je méditais
Sur les temples et les palais de la Cité
Des Châtoyants Nuages que le Soleil
Construit le matin et détruit
Avant le crépuscule.

J'étais comme une pensée, et je me promenais seul
Et en paix, vers l'Est et vers l'Ouest
De l'Univers, jouissant de la
Beauté et de la joie de la Vie et m'interrogeant
Sur le magnifique mystère
De l'existence.

J'étais comme un rêve sorti furtivement
Des ailes amicales de la nuit
Et pénétrant par les fenêtres closes
Dans les chambres des jeunes filles, folâtrant
Et éveillant leurs espoirs... Puis je m'asseyais
Auprès des jeunes gens, et j'attisais
Leurs désirs... Puis j'explorais les appartements
Des aînés, et j'emplissais leurs pensées
D'une sereine satisfaction.

C'est alors que tu as capturé mon imagination, et depuis
Cet instant hypnotique, je me suis senti comme
Un prisonnier qui porte ses chaînes et
Qui est entraîné vers un lieu inconnu...
Je me suis enivré de ton vin
Suave qui m'a ravi ma volonté et maintenant,
Mes lèvres embrassent la main
Qui me frappe durement. Ne vois-tu pas
Avec le regard de ton âme
Que mon coeur est broyé? Arrête-toi un
Moment: je retrouve mes forces
Et je délivre de leurs lourdes chaînes
Mes pieds fatigués. J'ai brisé
La coupe dans laquelle j'ai bu
Ton succulent venin... Mais maintenant,
Je suis dans un pays étrange, et je suis désorienté.
Quelle route dois-je suivre?

La liberté m'a été rendue. Veux-tu
M'accepter maintenant comme un libre
Compagnon qui regarde le soleil,
Les yeux brillants, et qui saisit
Le feu d'une main qui ne tremble pas?

J'ai déployé mes ailes, et je suis prêt
À m'élever. Veux-tu accompagner
Un jeune homme qui passe ses jours à errer
Dans la montagne comme un aigle solitaire
Et qui gaspille ses nuits à parcourir
Les déserts comme un lion agité?

Peux-tu te satisfaire de
L'affection de quelqu'un qui considère l'Amour
Comme un amusement et qui refuse
De l'accepter pour maître?

Peux-tu accepter un coeur qui aime,
Mais qui ne cède jamais? Et qui brûle,
Mais qui ne fond jamais? Peux-tu être tranquille
Avec une âme qui tremble devant
La tempête, mais ne s'abandonne jamais à elle?
Peux-tu accepter comme compagnon quelqu'un
Qui ne prend pas d'esclaves mais qui n'en sera
Jamais un? Veux-tu que je t'appartienne sans que tu me
Possèdes, en prenant mon corps et pas mon coeur?

Alors, voici ma main: prends-la
Dans ta superbe main. Et voici mon
Corps: enlace-le de tes bras
Aimants. Et voici mes lèvres: déposes-y
Un profond et étourdissant baiser.

SOUS LE VOILE

Rachel se réveilla à minuit et regarda intensément quelque chose d'invisible dans le ciel de sa chambre. Elle entendit une voix plus douce que les murmures de la Vie, plus lugubre que le gémissant appel des abîmes, plus légère que le bruissement des ailes blanches, plus profonde que le message des vagues… Elle était vibrante d'espoir et de futilité, de joie et de misère, d'affection pour la vie et pourtant du désir de la mort. Alors, Rachel ferma les yeux, poussa un profond soupir et elle dit, dans un dernier souffle: «L'aube a atteint l'extrémité de la vallée. Nous devons aller à la rencontre du soleil.» Ses lèvres étaient entrouvertes, semblant reproduire une profonde blessure de l'âme.

À ce moment, le prêtre s'approcha de son lit et, lui touchant la main, la trouva froide comme la neige. Lorsqu'il posa tristement les doigts sur son coeur, il se rendit compte qu'il était aussi immobile que les siècles et aussi silencieux que le secret de son âme.

Le Révérend Père baissa la tête dans un profond

désespoir. Ses lèvres tremblèrent comme s'il s'apprêtait à prononcer des paroles divines, répétées par les fantômes de la nuit dans les vallées lointaines et désertes.

Après lui avoir croisé les bras sur la poitrine, le prêtre regarda un homme assis dans un coin sombre de la pièce, et il dit d'une voix douce et compatissante: «Votre bien-aimée a atteint le grand cercle de lumière. Venez mon frère, agenouillons-nous et prions.»

Le mari plein de tristesse leva la tête. Ses yeux regardaient fixement l'invisible, et alors, son expression se modifia comme s'il venait de trouver de la compréhension dans le fantôme d'un dieu inconnu. Il rassembla ses forces et se dirigea respectueusement vers le lit de sa femme. Il s'agenouilla à côté du prêtre qui priait en se lamentant et qui faisait le signe de la croix.

Mettant la main sur l'épaule du mari affligé, le Père dit d'une voix douce: «Allez dans la pièce voisine, mon frère, car vous avez grand besoin de repos.»

Il se leva, obéissant, se dirigea vers la pièce et laissa tomber son corps fatigué sur un lit étroit. Au bout de quelques instants, il naviguait dans le monde du sommeil comme un petit enfant qui cherche refuge dans les bras d'une mère aimante.

* * * * *

Le prêtre demeura debout comme une statue au centre de la chambre, et un étrange conflit s'empara de lui. Les yeux pleins de larmes, il regarda d'abord le corps froid de la jeune femme et puis, par le rideau entrouvert, son mari qui s'était abandonné au sommeil. Une heure s'était écoulée, plus longue qu'un siècle et plus terrible que la Mort. Et le prêtre se tenait toujours entre deux âmes séparées. L'une rêvait comme un champ rêve de la venue du Printemps et de la tragédie de l'Hiver, et l'autre connaissait le repos éternel.

Alors le prêtre s'approcha tout près du corps de la jeune femme et il s'agenouilla comme s'il se prosternait devant l'autel. Il prit sa froide main et la porta à ses lèvres tremblantes, et il regarda son visage paré du doux voile de la Mort. Sa voix était calme comme la nuit, profonde comme l'abîme et hésitante comme les espoirs des hommes. Et il dit en pleurant; «Oh, Rachel, fiancée de mon âme, écoute! Enfin, je puis parler! La Mort m'a ouvert les lèvres de telle sorte que je puis maintenant te révéler un secret plus profond que la Vie elle-même. La douleur m'a délié la langue et je puis t'avouer ma souffrance, plus pénible que la douleur. Écoute le cri de mon âme, Oh, Pur Esprit. Il vogue entre la terre et le firmament. Accorde ton attention au jeune homme qui t'attendait lorsque tu revenais des champs, qui t'observait de derrière un arbre parce que ta beauté lui faisait peur. Écoute le prêtre qui sert Dieu et qui n'a pas honte de t'appeler, maintenant que tu as atteint le Royaume des Cieux. J'ai démontré la force de mon amour en le cachant.»

Ayant ainsi ouvert son âme, le Père se pencha en avant et imprima trois longs baisers, chauds et muets, sur le front, les yeux et la gorge de la morte, déversant ainsi tous ses secrets d'amour et de douleur et l'angoisse de toutes ces années. Puis, il se retira brusquement dans le coin obscur de la pièce et se jeta sur le sol avec angoisse, tremblant comme une feuille d'automne, comme si le contact de son froid visage avait éveillé en lui l'esprit de repentir. Puis il se reprit et s'agenouilla, se cacha le visage dans les mains et murmura doucement: «Dieu... Pardonnez-moi mon péché. Pardonnez ma faiblesse, Oh, Seigneur. Je n'ai pu résister plus longtemps à dévoiler ce que vous saviez déjà. Pendant sept années, je me suis gardé de dévoiler par la parole les profonds secrets cachés dans mon coeur, jusqu'à ce que la Mort vienne me les arracher. Aidez-moi, mon Dieu, à cacher ce souvenir terrible et magnifique qui m'a donné de la douceur dans la vie et de l'amertume de Votre part. Pardonnez-moi, Seigneur, et pardonnez ma faiblesse.»

Sans regarder le cadavre de la jeune femme, il continua à se lamenter et à souffrir jusqu'à ce que l'aube vienne jeter un voile rose sur ces deux images tranquilles, révélant le conflit de l'Amour et de la Religion chez l'un, la paix de la Vie et de la Mort chez l'autre.

MON PEUPLE EST MORT

(Écrit en exil pendant la famine en Syrie)

«PREMIÈRE GUERRE MONDIALE»

Mon peuple s'en est allé, mais j'existe toujours
Et je pleure sur eux dans ma solitude.
Mes amis sont morts et devant leur
Mort ma vie n'est plus qu'un grand
Désastre.

Les tertres de mon pays sont submergés
Par les larmes et le sang, car mon peuple
Et ceux que j'aime s'en sont allés, et je suis ici,
Vivant comme je le faisais quand mon peuple et ceux
Que j'aime profitaient de la vie et
De la bonté de la vie, et lorsque les collines
De mon pays étaient bénies et baignées
Par la lumière du soleil.

Mon peuple est mort de faim et celui
Qui n'a pas péri d'inanition a été
Massacré par le glaive. Et moi, je suis ici,
Dans ce lointain pays, errant parmi
Des gens heureux qui dorment
Sur des lits moelleux et qui sourient aux jours
Tandis que les jours sourient au-dessus de leurs têtes.

Mon peuple a succombé à une mort
Pénible et honteuse, et je vis ici dans l'abondance
Et dans la paix... C'est une profonde tragédie
Qui se rejoue indéfiniment sur la scène
De mon coeur. Il y a peu de monde pour assister
À ce drame, car mon peuple est comme ces oiseaux
Dont les ailes sont brisées et qui ne peuvent suivre le vol.

Si j'avais faim et si je vivais parmi
Mon peuple affamé, si j'étais persécuté avec
Mes compatriotes opprimés, le fardeau
Des jours sombres serait plus léger
Dans mes rêves agités, et
L'obscurité de la nuit serait moins
Profonde devant mes yeux creux,
Mon coeur gémissant et mon âme blessée.
Car celui qui partage avec son peuple
Son chagrin et son angoisse éprouvera
Le confort suprême que l'on ne trouve
Que dans un sacrifice partagé. Et il sera
En paix avec lui-même lorsqu'il mourra
Innocent avec ses innoncents compagnons.

Mais je ne vis pas avec mon peuple
Affamé et persécuté qui marche
Dans la procession des Morts
Vers le martyre... Je suis ici, au-delà
Du vaste océan, vivant à l'ombre

De la tranquillité et dans la brillante lumière
De la paix... Je suis loin de la pitoyable
Arène où périssent les affligés, et je ne puis
Être fier de rien, pas même de mes propres
Larmes.

Que peut faire un fils en exil
Pour ses compatriotes mourants, et de quelle valeur
Sont pour eux les lamentations
D'un poète absent?

Si j'étais un épi de maïs né de la terre
De mon pays, les enfants faméliques pourraient
Me cueillir et écarter, grâce à mes grains,
La main de la Mort de leurs âmes. Si j'étais
Un fruit mûr dans les jardins de mon
Pays, la femme affamée pourrait
Me récolter pour conserver la vie. Si j'étais
Un oiseau volant dans le ciel de mon pays,
Mon frère qui meurt de faim pourrait me chasser
Et grâce à la chair de mon corps, écarter
De son corps l'ombre du tombeau.

Mais, hélas! je ne suis pas un épi de maïs
Grandi dans les plaines de Syrie, ni un
Fruit mûr des vallées du Liban.
C'est là mon malheur et la
Muette infortune qui apporte avec elle l'humiliation
De mon âme et des fantômes
De la nuit... C'est la douloureuse
Tragédie qui paralyse ma langue,
Qui emprisonne mes bras et qui m'arrête en me privant
De puissance, de volonté et d'action.
C'est la malédiction dont j'ai été marqué
Au front devant Dieu et devant les hommes.

* * * * *

Et souvent on me dit:
«Le désastre de votre pays
N'est rien d'autre que le malheur
Du monde. Les larmes et le sang versés
Par votre peuple ne sont rien en comparaison
Des rivières de sang et de larmes
Qui se déversent chaque jour et chaque nuit dans
Les vallées et les plaines de la terre...»

Oui, mais la mort de mon peuple
Est une accusation muette. C'est un crime
Conçu dans la tête d'invisibles
Serpents... C'est une tragédie sans musique
Et sans théâtre... Et si mon peuple
Avait attaqué les despotes
Et les oppresseurs, et était mort en se révoltant,
J'aurais dit: «Mourir pour
La liberté est plus noble que de vivre
Dans l'ombre de la faiblesse et de la soumission.
Car celui qui embrasse la mort avec le glaive
De la vérité à la main, vivra éternellement
Dans l'éternité de la Vérité, car la Vie
Est plus faible que la Mort, et la Mort
Est plus faible que la Vérité.

Si ma nation avait pris part à la guerre
De toutes les Nations et avait succombé
Sur le champ de bataille, j'aurais dit
Que la tempête avait brisé les branches
Vives de toute sa puissance. Une mort
Violente sous la voûte de la
Tempête est plus noble qu'une lente
Agonie dans les bras de la sénilité.

Mais il n'y a pas de salut contre
Les mâchoires qui se referment... Mon peuple a
succombé
Et il a mêlé ses pleurs aux sanglots des anges.

Si un tremblement de terre avait déchiré
Mon pays, et si la terre avait
Englouti mon peuple en son sein,
J'aurais dit: «Une grande et
Mystérieuse loi s'est manifestée
Par la volonté de la force divine et ce serait
Pure folie, pour nous, faibles mortels,
De vouloir explorer
Ses profonds secrets...»
Mais mon peuple n'est pas mort en se révoltant.
Il n'a pas succombé sur le champ
De bataille. Aucun tremblement de terre
N'a détruit mon pays et ne l'a soumis.
La mort a été son seul salut
Et la famine ses uniques dépouilles.

* * * * *

Mon peuple est mort sur la Croix...
Il est mort les mains tendues
Vers l'Est et vers l'Ouest,
Tandis que ses derniers regards
Scrutaient l'obscurité
Du firmament... Il est mort en silence,
Car l'humanité s'est bouché les oreilles
Devant ses cris. Il est mort parce qu'il
N'est pas venu en aide à ses ennemis.
Il est mort parce qu'il aimait
Ses voisins. Il est mort
Parce qu'il avait confiance en toute l'humanité.
Il est mort parce qu'il n'a pas

Opprimé ses oppresseurs. Il est mort
Parce qu'il était la fleur
Qu'on piétine et non le pied qui écrase.
Il est mort parce qu'il y avait des faiseurs
De Paix. Il est mort de faim
Dans un pays où coulent le lait et le miel.
Il est mort parce que les monstres de
L'Enfer se sont levés et ont détruit tout ce que
Produisaient ses champs, et dévoré
Les dernières provisions de ses huches.
Il est mort parce que les vipères et
Les enfants des vipères ont déversé leur poison
Dans les lieux où les Cèdres Sacrés et
Les roses et les jasmins répandent
Leur parfum.

Mon peuple et ton peuple, mon frère
Syrien, sont morts... Que peut-on faire
Pour ceux qui meurent? Nos
Lamentations n'apaiseront pas leur
Faim, et nos larmes n'étancheront pas
Leur soif. Que pouvons-nous faire pour les tirer
Des griffes d'airain de
La faim? Mon frère, la miséricorde
Qui te pousse à donner une partie de
Ta vie à tout être humain qui est
Sur le point de perdre la sienne est la seule
Vertu qui te rende digne
De la lumière du jour et de la paix
De la nuit... Souviens-toi, mon frère,
Que la pièce que tu déposes
Dans la main desséchée qui se tend
Vers toi est l'unique chaîne d'or
Qui relie ton coeur de riche
Au coeur aimant de Dieu...

L'AMBITIEUSE VIOLETTE

Il était une fois une belle et odorante violette qui vivait tranquillement au milieu de ses amies et qui se balançait joyeusement dans le jardin, au milieu des autres fleurs. Un matin, sa couronne ornée de gouttes de rosée, elle leva la tête et regarda autour d'elle. Elle vit une grande et belle rose fièrement dressée, et qui montait haut vers l'espace, comme une torche allumée sur une lampe d'émeraude.

La violette ouvrit ses lèvres bleues et dit: «Que je suis malheureuse parmi ces fleurs et que ma situation est humiliante en leur présence! La nature m'a faite courte et pauvre... Je vis tout près de la terre et je ne peux lever la tête vers le ciel bleu, ni tourner mon visage vers le soleil comme le font les roses.

La rose entendit les paroles de sa voisine. Elle rit et fit ce commentaire: «Que tes paroles sont étranges! Tu es heureuse, et tu ne comprends pas ta bonne fortune. La nature t'a accordé un parfum et une beauté qu'elle n'a donnés à aucune autre... Rejette ces pensées, et sois

satisfaite. Souviens-toi que celui qui s'humilie sera
glorifié et que celui qui se glorifie sera écrasé.»

La violette répondit: «Tu me consoles parce que tu
possèdes ce que je désire ardemment. Tu veux me
remplir d'amertume en me montrant que tu es grande…
Les sermons de ceux qui sont comblés sont pénibles au
coeur des misérables! Et que les forts sont sévères lorsqu'ils se dressent en conseillers des faibles!»

*   *   *   *   *

Et la nature entendit la conversation de la violette et
de la rose. Elle s'approcha en disant: «Que t'arrive-t-il,
ma fille Violette? Tu as toujours été humble et douce
dans tous tes actes et dans toutes tes paroles. L'envie
a-t-elle envahi ton coeur et obnubilé tes sens?» D'une
voix suppliante, la violette répondit en disant: «Oh,
grande et miséricordieuse mère, pleine d'amour et de
sympathie, je te demande de tout mon coeur et de toute
mon âme d'exaucer ma requête et de me permettre
d'être une rose pendant une seule journée.»

Et la Nature répondit: «Tu ne sais pas ce que tu
demandes. Tu n'as pas conscience du désastre qui se
cache derrière ton aveugle ambition. Si tu étais une rose,
tu le regretterais, mais le repentir ne te servirait à rien.»
La violette insista: «Change-moi en grande rose, car je
voudrais fièrement dresser la tête. Quel que soit mon
destin, c'est moi qui l'aurai voulu.» La Nature céda,
non sans lui dire: «Oh, violette ignorante et rebelle, je
vais exaucer ta requête. Mais si le malheur s'abat sur toi,
il ne faudra t'en prendre qu'à toi-même.»

Et la nature étendit ses doigts mystérieux et magiques
pour en toucher les racines de la violette. Celle-ci se
transforma aussitôt en une grande et belle rose qui se
dressa au-dessus de toutes les autres fleurs du jardin.

Le soir, le ciel se couvrit de gros nuages et les éléments en fureur troublèrent de leur tonnerre le silence de l'existence. Ils commencèrent à attaquer le jardin avec de fortes pluies et des vents violents. La tempête arracha les branches, déracina les plantes et brisa la tige des hautes fleurs, n'épargnant que les plus petites qui vivaient tout près de la terre. Le jardin solitaire souffrit beaucoup de la guerre dans les cieux. Lorsque la tempête se calma et que le ciel s'éclaircit, toutes les fleurs étaient ravagées et aucune n'avait échappé à la colère de la Nature, à part le clan des petites violettes, cachées par le mur du jardin.

* * * * *

Ayant levé la tête pour observer la tragédie des fleurs et des arbres, une des jeunes violettes sourit joyeusement et appela ses compagnes en disant: «Voyez ce que la tempête a fait aux fleurs hautaines!» Une autre violette dit: «Nous sommes petites, et nous vivons près de la terre, mais nous avons été épargnées par la colère des cieux.» Et une troisième ajouta: «Parce que nous ne sommes pas hautes, la tempête est incapable de nous soumettre.»

À ce moment, la reine des violettes vit à côté d'elle la violette convertie en rose, écrasée au sol par la tempête et tordue sur l'herbe mouillée comme un soldat mutilé sur le champ de bataille. La reine des violettes releva la tête et appela sa famille en disant: «Voyez, mes filles, et méditez sur ce que l'Envie a fait de notre soeur qui est devenue une fière rose pour une heure. Que le souvenir de cette scène vous rappelle votre bonne fortune!»

La rose mourante fit un mouvement et rassembla ce qu'il lui restait de forces pour dire d'un ton tranquille: «Vous êtes des lourdauds humiliés et satisfaits. Je n'ai jamais eu peur de la tempête. Hier, j'étais satisfaite de la

vie et contente de mon sort, moi aussi. Mais ma
Satisfaction s'est dressée comme une barrière entre mon
existence et la tempête de la Vie, me confinant à une
paix maladive et à une morne tranquillité d'esprit.
J'aurais pu vivre la vie que vous vivez maintenant en
m'accrochant peureusement à la terre... J'aurais pu at-
tendre que l'hiver m'enveloppe de son linceul de neige et
me remette à la Mort qui réclamera certainement toutes
les violettes... Maintenant, je suis heureuse parce que
j'ai exploré le mystère de l'Univers en dehors de mon
petit monde... une chose que vous n'avez jamais faite
jusqu'à présent. J'aurais pu renoncer à l'Envie dont la
nature est plus élevée que la mienne, mais j'ai écouté le
silence de la nuit, et j'ai entendu le monde céleste parler
au monde de la terre en disant: «L'ambition qui dépasse
l'existence est le but principal de notre être». À ce moment, mon esprit s'est révolté, et mon coeur a éprouvé
l'envie d'une situation plus élevée que mon existence
limitée. J'ai compris que l'abîme ne pouvait entendre le
chant des étoiles. J'ai commencé alors à lutter contre ma
petitesse et à désirer ce qui ne m'appartenait pas, jusqu'à ce que ma révolte se change en puissance et mon
désir ardent en volonté créatrice... La Nature, qui est le
grand sujet de nos rêves les plus profonds, a exaucé ma
requête et, de ses doigts magiques, m'a changée en
rose.»

    La rose se tut un moment, et d'une voix faiblissante,
mêlée de fierté et de satisfaction, elle dit: «J'ai vécu une
heure en fière rose. Pendant un temps, j'ai vécu en
reine. J'ai regardé l'Univers avec les yeux d'une rose.
J'ai entendu le murmure du firmament avec les oreilles
de la rose, j'ai touché les plis du manteau de la Lumière
avec des pétales de rose. Y a-t-il quelqu'un parmi vous
qui puisse revendiquer un tel honneur?» Ayant parlé de
la sorte, elle baissa la tête et soupira d'une voix étouffée:

«Je vais mourir maintenant, car mon âme a atteint son but. J'ai finalement étendu ma connaissance à un monde qui dépasse l'étroite caverne de ma naissance... Tel est le but de la Vie... Tel est le secret de l'Existence.» Puis la rose frissonna, plia lentement ses pétales et poussa son dernier soupir avec un sourire céleste sur les lèvres... un sourire de satisfaction, d'espoir et d'accomplissement... un sourire de victoire... un sourire de Dieu.

LE CRUCIFIÉ

(Écrit un Vendredi saint)

Aujourd'hui, et le même jour de chaque année, l'homme est réveillé en sursaut de son profond sommeil et se dresse devant les fantômes des Siècles pour regarder, les yeux pleins de larmes, le Mont Calvaire où Jésus le Nazaréen est cloué sur la Croix... Mais lorsque le jour s'achève et que le soir vient, les humains s'en retournent et vont s'agenouiller pour prier les idoles dressées sur le sommet de chaque colline, dans chaque prairie et là où l'on échange le blé.

Aujourd'hui, les âmes des Chrétiens voyagent sur les ailes des souvenirs et volent vers Jérusalem. Elles s'y presseront en foule, se battront la poitrine et Le contempleront, coiffé d'une couronne d'épines, tendant Ses bras vers le ciel et regardant à travers le voile de la Mort les profondeurs de la Vie...

Mais lorsque le voile de la nuit tombera sur la scène du jour et que la courte tragédie s'achèvera, les Chrétiens s'en retourneront en groupes et se coucheront à l'ombre de l'oubli entre les couvertures de l'ignorance et de la paresse.

En cet unique jour de chaque année, les philosophes quittent leurs sombres grottes et les penseurs leurs froides cellules, et les poètes leurs charmilles imaginaires, et tous se tiennent avec respect sur cette montagne silencieuse pour écouter la voix d'un jeune homme disant de ses meurtriers: «Oh, Père, pardonnez-leur, car ils ne savent pas ce qu'ils font.»

Mais lorsque le sombre silence étouffe les voix de la lumière, les philosophes et les penseurs et les poètes retournent dans leurs antres étroits et ensevelissent leurs âmes dans des feuilles de parchemin dénuées de sens.

Les femmes qui s'activent dans la splendeur de la Vie se lèveront aujourd'hui de leurs coussins pour aller voir la femme affligée qui se tient devant la Croix comme un tendre arbrisseau dans une furieuse tempête. Et lorsqu'elles s'approcheront d'elle, elles entendront un profond gémissement et un chagrin plein de douleur.

Les jeunes hommes et les jeunes femmes qui courent avec le torrent de la civilisation moderne, s'attarderont un moment en ce jour et regarderont derrière eux pour voir la jeune Madeleine lavant de ses larmes les taches de sang sur les pieds du Saint Homme suspendu entre Ciel et Terre. Et lorsque leurs yeux creux seront fatigués de la scène, ils s'en iront et recommenceront bientôt à rire.

Chaque année, en ce jour, l'Humanité s'éveille avec le retour du Printemps, et elle se tient en pleurant aux pieds du Nazaréen qui souffre. Alors, elle ferme les yeux et s'abandonne à un profond sommeil. Mais le Printemps reste éveillé, il sourit et il progresse jusqu'au moment où il se fondra dans l'Été qu'habille un vêtement d'or plein de senteurs. L'Humanité est une pleureuse qui aime se lamenter sur les héros et sur les souvenirs des Siècles... Mais si l'Humanité était douée de compréhension, elle se réjouirait de leur gloire. L'Humanité est comme un enfant qui se tient en riant près d'un animal blessé. L'Humanité rit devant le torrant en crue qui emporte vers l'oubli les branches mortes des arbres et qui balaie avec détermination tout ce qui n'est pas fermement attaché.

L'Humanité considère Jésus de Nazareth comme un pauvre de naissance Qui a souffert de la misère et de l'humiliation avec tous les autres faibles. Et on a pitié de Lui, parce que l'Humanité croit qu'il a été crucifié dans la souffrance... Et tout ce que l'Humanité lui offre, ce sont des pleurs, des gémissements et des lamentations. Pendant des Siècles, l'Humanité a adoré la faiblesse dans la personne du Sauveur.

Le Nazaréen n'était pas faible! Il était fort, et il est fort! Mais les gens refusent de tenir compte de la vraie signification de la force.

Jésus n'a jamais vécu une existence craintive, et il n'est pas mort en souffrant et en se lamentant... Il a vécu comme un Maître. Il a été crucifié comme un Croisé. Il est mort avec un héroïsme qui a effrayé ses meurtriers et ses persécuteurs.

Jésus n'était pas un oiseau aux ailes brisées. Il était une furieuse tempête qui a brisé toutes les ailes tordues. Il ne craignait ni Ses persécuteurs ni Ses ennemis. Il n'a pas souffert devant Ses meurtriers. Il était libre, courageux et audacieux. Il a défié tous les despotes et tous les oppresseurs. Il a vu les pustules contagieuses, et Il les a excisées... Il a fait taire le Mal, Il a écrasé la Fausseté, Il a étouffé la Fourberie.

Jésus n'est pas venu du coeur du cercle de Lumière pour détruire les demeures des hommes et construire sur leurs ruines des couvents et des monastères. Il n'a pas persuadé l'homme fort de devenir moine ou prêtre, mais Il est venu pour propager sur cette terre un esprit nouveau, avec le pouvoir de saper les fondations de toute monarchie bâtie sur les ossements et les crânes hu-

mains... Il est venu détruire les palais majestueux, construits sur les tombes des faibles, et écraser les idoles
érigées sur les corps des pauvres. Jésus ne nous a pas été
envoyé pour apprendre au peuple à bâtir de somp-
tueuses églises et des temples magnifiques au milieu des
huttes froides et délabrées et des tristes masures... Il est
venu pour faire un temple du coeur de l'homme, un
autel de son âme et un prêtre de son esprit.

Telle était la mission de Jésus de Nazareth, et tels sont
les enseignements pour lesquels on l'a crucifié. Et si
l'Humanité était sage, elle se lèverait en ce jour pour
chanter avec force le chant de la conquête et l'hymne du
triomphe.

* * * * *

Oh, Jésus crucifié, qui du haut du Calvaire regardes
avec chagrin la triste procession des Siècles, qui entends
la clameur des sombres nations et qui comprends les
rêves de l'Éternité... Tu es, sur la Croix, plus glorieux et
plus digne que mille rois sur mille trônes dans un millier
d'empires...

Dans l'agonie de la mort, Tu es plus puissant que
mille généraux dans mille guerres...

Avec toute ta tristesse, Tu es plus joyeux que le
Printemps avec ses fleurs...

Avec toute Ta souffrance, Tu restes plus courageusement silencieux que les pleurs des anges du ciel...

Devant ceux qui Te flagellent, tu es plus résolu qu'une
montagne de pierre...

Ta couronne d'épines est plus sublime et plus brillante
que la couronne de Bahram... Les clous qui percent Tes
mains sont plus beaux que le sceptre de Jupiter...

Les taches de sang sur Tes pieds sont plus resplen-
dissantes que le collier d'Ashtart.

Pardonne aux faibles qui se lamentent sur Toi aujourd'hui, car ils ne savent pas comment se lamenter sur eux-mêmes...

Pardonne-leur, car ils ne savent pas que Tu as conquis la mort par la mort et que tu as accordé la vie aux défunts...

Pardonne-leur, car ils ne savent pas que Ta force les attend.

Pardonne-leur, car ils ne savent pas que chaque jour est Ton jour.

SOIR DE FÊTE

La nuit était tombée et l'obscurité enveloppait la ville tandis que les lumières brillaient dans les palais, dans les chaumières et dans les magasins. La foule, en vêtements de fête, envahissait les rues, et les visages des gens reflétaient la satisfaction de participer à cette commémoration.

J'évitai les clameurs de la foule et je me promenai seul, en célébrant la grandeur de l'Homme Qu'ils honoraient et en réfléchissant au destin de ce Génie des Siècles qui était né pauvre, avait vécu vertueusement et était mort sur la Croix.

Je songeais à cette torche brillante qui avait été allumée par l'Esprit Saint dans cet humble village de Syrie... L'Esprit Saint qui rôde à travers les siècles et qui, grâce à sa vérité, pénètre les civilisations les unes après les autres.

Lorsque je fus arrivé au jardin public, je m'assis sur un banc rustique et je me mis à regarder, à travers les arbres dénudés, les rues pleines de monde. J'écoutai les hymnes et les chants des célébrants.

Après une heure de profonde méditation, je regardai sur le côté et fus surpris de voir un homme assis à côté de moi. Il tenait à la main une courte branche à l'aide de laquelle il traçait de vagues silhouettes sur le sol. Je ne l'avais pas vu ni entendu approcher, mais je me dis en moi-même: «Il est solitaire comme moi.» Et après l'avoir sérieusement dévisagé, je vis qu'en dépit de ses vêtements démodés et de ses cheveux longs, c'était un homme digne d'attention. Comme s'il avait lu dans mes pensées, il dit d'une voix tranquille et profonde: «Bonsoir mon fils».

«Bonsoir à vous», répondis-je avec respect.

Il reprit son dessin tandis que le son étrangement apaisant de sa voix continuait à remplir mes oreilles. Je lui parlai à nouveau, demandant: «Êtes-vous étranger dans cette ville?»

«Oui, je suis étranger dans cette ville et dans n'importe quelle ville», répondit-il. Je le consolai en ajoutant: «Un étranger doit oublier qu'il l'est en ces jours de fête, car les gens sont aimables et généreux.» Il répliqua d'un ton las: «Je suis plus étranger ces jours-là qu'en aucun autre.» Ayant ainsi parlé, il regarda le ciel clair. Ses yeux explorèrent les étoiles et ses lèvres tremblèrent comme s'il avait vu dans le firmament l'image d'une contrée lointaine. Son étrange déclaration éveilla mon intérêt, et je dis: «C'est une époque de l'année où les gens sont gentils pour les autres. Les riches se souviennent des pauvres et les forts ont pitié des faibles.»

Il répliqua: «Oui, la bienveillance momentanée des riches envers les pauvres est amère, et la sympathie des forts à l'égard des faibles n'est qu'un rappel de leur supériorité.»

J'affirmai: «Vos paroles ont du bon sens, mais les pauvres dans leur faiblesse ne se soucient pas de savoir ce qui se cache dans le coeur des riches, et les affamés ne pensent jamais à la méthode qu'on a utilisée pour pétrir et pour cuire le pain qu'ils convoitent.»

Et il répondit: «Celui qui reçoit ne se pose pas de questions, mais celui qui donne porte le poids de ses intentions: il faut que ce soit par amour fraternel, pour une aide amicale, et non pour sa propre estime.»

J'étais étonné de sa sagesse et je recommençai à méditer sur son aspect antique et sur ses étranges vêtements. Puis je répliquai mentalement: «Vous semblez avoir besoin d'aide. Voulez-vous accepter ces quelques pièces?» Et avec un triste sourire, il me répondit: «Oui, je suis désespérément dans le besoin, mais pas d'or ou d'argent.»

Surpris, je demandai: «Alors, de quoi avez-vous besoin?»

«Il me faut un abri. Il me faut un endroit où je puisse reposer ma tête et mes pensées.»

«Je vous en prie, acceptez ces deux dinars, et allez loger à l'auberge, dis-je.

Il répondit tristement: «J'ai essayé toutes les auberges et j'ai frappé à toutes les portes, mais en vain. Je suis entré dans chaque boutique d'alimentation, mais personne ne s'est soucié de me venir en aide. Je suis blessé, pas affamé. Je suis déçu, pas fatigué. Je ne cherche pas un toit, mais une protection humaine.»

Je me dis en moi-même: «Quel étrange personnage! Il parle d'abord comme un philosophe, puis comme un fou!» Comme je me murmurais ces pensées intérieurement, il me regarda, baissa la voix sur un ton triste et dit: «Oui, je suis un fou, mais même un fou peut se sentir étranger s'il est sans abri, et affamé s'il est privé de nourriture, car le coeur de l'homme est vide.»

Je m'excusai envers lui en disant: «Je regrette cette pensée inconsciente. Voulez-vous accepter mon hospitalité et chercher un abri chez moi?»

«J'ai frappé à votre porte et à toutes les portes un millier de fois, et je n'ai pas reçu de réponse» répondit-il avec sévérité.

Maintenant, j'étais convaincu qu'il était vraiment fou, et je suggérai: «Allons-y, et venez chez moi.»

Il leva lentement la tête et dit: «Si vous connaissiez mon identité, vous ne m'inviteriez pas dans votre maison.»

«Qui êtes-vous?» demandai-je lentement et non sans crainte.

D'une voix qui ressemblait au grondement de l'océan, il tonitrua amèrement: «Je suis la révolution qui bâtit ce que les nations détruisent... Je suis la tempête qui déracine les plantes grandies au cours des siècles... Je suis celui qui est venu apporter la guerre sur terre, et non la paix, car l'homme n'est satisfait que dans le malheur!»

Alors, avec des larmes qui lui coulaient sur les joues, il se redressa de toute sa hauteur, et un halo lumineux l'entoura. Il tendit les bras et je vis la marque des clous sur ses paumes. Je me prosternai devant lui dans un geste convulsif et je m'écriai: «Oh, Jésus de Nazareth!»

Et il poursuivit avec douleur: «Les gens organisent une fête en Mon honneur, poursuivant une tradition tissée par les Siècles autour de Mon nom, mais quant à Moi, je suis un étranger qui erre sur cette terre de l'Est à l'Ouest, et personne ne Me connaît. Les renards ont leur terrier et les oiseaux des cieux leurs nids, mais le Fils de l'Homme n'a pas d'endroit où reposer la tête.»

À ce moment, j'ouvris les yeux. Je levai la tête, regardai autour de moi, mais je ne vis rien devant moi qu'une colonne de fumée, et je n'entendis que la voix frissonnante du silence de la nuit, venue des profondeurs de l'Éternité. Je me relevai et je regardai à nouveau au loin la foule qui chantait. Au fond de moi, une voix me dit: «La vraie force qui évite au coeur d'être blessé est celle qui l'empêche d'atteindre à l'intérieur la taille qui était prévue. La chanson de la voix est douce, mais la chanson du coeur est la pure voix du ciel.»

LE FOSSOYEUR

Dans le terrible silence de la nuit, quand tous les objets célestes avaient disparu derrière le voile tenace de gros nuages, je me promenais, seul et plein d'effroi, dans la Vallée des Fantômes de la Mort.

Lorsque vint minuit et que les spectres se mirent à sauter autour de moi avec leurs horribles ailes nervurées, j'observai un fantôme géant qui se dressait devant moi et qui me fascinait de son hypnotique pâleur. D'une voix tonitruante, il dit: «Ta crainte est à deux étages. Tu as peur d'avoir peur de moi! Et tu ne peux le cacher, car tu es plus faible que le mince fil d'une araignée. Quel est ton nom terrestre?»

Je m'appuyai contre un grand rocher, tentai de me remettre de ce choc soudain et répliquai d'une voix maladive et tremblante: «Je me nomme Abdallah, ce qui signifie esclave de Dieu.» Pendant quelques instants, il demeura muet, dans un silence effrayant. Je m'habituai à son aspect, mais je demeurai ébranlé par ses paroles et par ses pensées mystérieuses, par ses étranges croyances et par ses visions.

Il grommela: «Nombreux sont les esclaves de Dieu, et

grands sont les infortunes de Dieu avec ses esclaves.
Pourquoi ton père ne t'a-t-il pas plutôt nommé «Maître
des démons», ajoutant ainsi un désastre de plus à
l'énorme calamité de la terre? Tu t'accroches avec terreur au petit cercle des dons de tes ancêtres, ton afflic-
tion est causée par ce que t'ont légué tes parents, et tu
demeureras l'esclave de la mort jusqu'à ce que tu sois
toi-même au nombre des défunts.

«Vos vocations sont prodigues et vides, et vos vies
sont creuses. La véritable vie ne vous a jamais visités et
elle ne le fera jamais. Et ton moi trompeur ne compren-
dra jamais ta mort vivante. Tes yeux pleins d'illusion
voient les gens trembler devant la tempête de la vie, et tu
crois qu'ils sont vivants alors qu'en vérité, ils sont morts
depuis leur naissance. Personne n'a voulu les enterrer,
et la meilleure carrière pour toi serait celle de fossoyeur.
Comme tel, tu pourrais débarrasser les rares vivants des
cadavres entassés autour des maisons, des chemins et
des églises.»

Je protestai:«Je ne puis suivre une telle vocation. Ma
femme et mes enfants ont besoin de mon appui et de ma
compagnie.» Il se pencha vers moi, montrant ses
muscles bandés qui ressemblaient aux racines d'un
chêne puissant, plein de vie et d'énergie, et il vociféra:
«Donne à chacun une pelle, et apprends-leur à creuser
des tombes. Ta vie n'est qu'une noire misère dissimulée
derrière des murs de plâtre blanc. Rejoins-nous, car
nous, les génies, sommes les seuls détenteurs de la
réalité! Le creusement des tombes apporte un profit lent
mais positif en faisant s'évanouir les morts qui
tremblent avec la tempête sans jamais l'accompagner.»
Il rêvassa, puis demanda: «Quelle est ta religion?»

Je répondis courageusement: «Je crois en Dieu et
j'honore Ses prophètes. J'aime la vertu et j'ai foi en
l'éternité.»

Il répondit avec conviction, et une remarquable sagesse: «Ces mots vides de sens sont mis sur les lèvres des hommes par les siècles passés et non par la science. En réalité, tu ne crois qu'en toi-même. Et tu n'honores que toi-même et tu n'as foi qu'en l'éternité de tes désirs. L'homme s'est adoré lui-même depuis le commencement des temps, il a donné à ce moi des titres appropriés et aujourd'hui, il utilise le mot *Dieu* pour désigner le même moi». Le géant éclata alors de rire et les échos de son rire se répercutèrent dans le creux des cavernes. Il ajouta, d'un ton sarcastique: «Qu'ils sont bizarres, ceux qui adorent leur propre moi alors que leur existence réelle n'est qu'une carcasse terrestre!»

Il s'arrêta. Je réfléchis à ses paroles et je méditai sur leur signification. Il possédait un savoir plus étrange que la vie, plus terrible que la mort et plus profond que la vérité. Timidement, je hasardai: «As-tu une religion ou un Dieu?»

«Mon nom est le Dieu Fou» déclara-t-il,» et je suis né en tous temps. Je suis le dieu de mon propre moi. Je ne suis pas sage, car la sagesse est une qualité des faibles. Je suis fort, et la terre se déplace sous mes pas, et quand je m'arrête, la procession des étoiles s'arrête avec moi. Je me moque des gens... J'accompagne les géants de la nuit... Je me mêle aux grands rois des génies... Je suis en possession des secrets de l'existence et de la non-existence.

«Le matin, je blasphème le soleil... À midi, je maudis l'humanité... Le soir, je submerge la nature... La nuit, je m'agenouille et je m'adore moi-même. Je ne dors jamais, car je suis le temps, la mer et moi-même... Je me nourris de corps humains, je bois leur sang pour étancher ma soif et j'utilise leurs derniers soupirs pour entretenir ma respiration. Quoique je te déçoive, tu es mon frère, et tu vis comme moi. Va-t-en... hypocrite!

Retourne ramper sur la terre et continue à adorer ton propre moi parmi les morts vivants.»

Je m'éloignai en titubant de cette vallée rocheuse et caverneuse, dans une stupeur hypnotique, pouvant à peine croire ce que mes oreilles avaient entendu et ce que mes yeux avaient vu! J'étais déchiré de douleur par quelques-unes des vérités qu'il avait dites, et je me promenai toute la nuit à travers champs dans une méditation mélancolique.

* * * * *

Je me procurai une bêche et je me dis à moi-même: «Creuse profondément les tombes... Vas-y, maintenant, et chaque fois que tu rencontreras un mort vivant, enterre-le dans le sol.»

Depuis ce jour, j'ai creusé des tombes, et j'ai enterré les morts vivants. Mais ceux-ci sont nombreux et je suis seul, sans personne pour m'aider.

LE POISON AU GOÛT DE MIEL

Dans le Nord Liban, où les habitants du village de Tula se rassemblaient sur le parvis de la petite église qui se dressait au milieu de leurs habitations, c'était un matin superbe, d'une clarté éblouissante. Ils discutaient avec vivacité du départ soudain et inexplicable de Farris Rahal, qui laissait derrière lui la femme qu'il avait épousée il y avait à peine six mois.

Farris Rahal était le Cheik et le chef du village, et cette honorable fonction lui avait été léguée par ses ancêtres qui gouvernaient Tula depuis des siècles. Quoiqu'à peine âgé de vingt-sept ans, il possédait d'exceptionnelles capacités et une sincérité qui lui valaient l'admiration, la vénération et le respect de tous les fellahs. Lorsqu'il avait épousé Suzanne, les gens avaient fait des commentaires de ce genre: «Quel heureux homme que ce Farris Rahal! Il a obtenu tout ce qu'un homme peut désirer de la bonté et des joies de la vie, et ce n'est qu'un tout jeune homme!»

Ce matin-là, lorsque les gens de Tula s'étaient réveillés en apprenant que le Cheik avait ramassé son or, enfourché sa monture et quitté le village sans dire adieu à personne, ils avaient manifesté leur curiosité et leur inquiétude, et ils s'étaient posé beaucoup de questions sur la raison qui l'avait poussé à abandonner sa femme et sa maison, ses champs et ses vignes.

* * * * *

Pour des raisons qui relèvent de la tradition et de la géographie, les habitants du Nord Liban mènent une vie hautement sociable. Les gens partagent leurs joies et leurs peines, poussés par un sentiment d'humilité et par un esprit de caste instinctif. À toutes occasions, toute la population du village s'accorde à enquêter sur tel ou tel incident, offre toute l'assistance possible, et retourne aux champs en attendant que le destin leur apporte une autre raison de se rassembler.

C'est une telle occasion qui avait poussé, ce jour-là, les habitants de Tula à quitter leur travail et à se rassembler autour de l'église de Mar Tula pour discuter du départ de leur Cheik et échanger leurs points de vue sur son caractère singulier.

À ce moment arriva le Père Estephan, curé de la paroisse, et sur son visage aux traits tirés, on put lire les signes incontestables d'une grande souffrance et d'un esprit profondément blessé. Il regarda la scène pendant un moment, puis il dit: «Ne me demandez rien... Ne me posez pas de questions! Ce matin, avant le lever du jour, le Cheik Farris a frappé à ma porte. Il tenait les rênes de son cheval et son visage reflétait une lourde tristesse et un profond chagrin. Comme je lui faisais remarquer que l'heure était insolite, il me répondit: «Père, je viens vous dire adieu, car je m'en vais au-delà des océans, et je ne reviendrai jamais dans ce pays.» Et il me tendit une enveloppe scellée, adressée à son meilleur ami Nabih Malik, en me demandant de la lui remettre. Il monta son cheval et partit au galop en direction de l'est, sans me donner l'occasion de comprendre le but de son étrange fuite.»

L'un des villageois fit remarquer: «La lettre nous révélera certainement le secret de son départ, car Nabih est son ami le plus proche.» Un autre ajouta: «Père, avez-vous vu son épouse?» Le Père répliqua: «Je lui ai rendu visite après la prière du matin, et je l'ai trouvée debout à sa fenêtre, regardant au loin, sans rien voir, quelque chose d'invisible. Elle semblait avoir perdu ses sens et lorsque je voulus lui poser une question au sujet de Farris, elle dit simplement: «Je ne sais pas! Je ne sais pas!» Alors, elle pleura comme un enfant devenu brusquement orphelin.»

Au moment où le Père finissait de parler, le groupe fut saisi de terreur en entendant la forte détonation d'un coup de feu venu de l'est du village, suivi immédiatement par un terrible hurlement de femme. Pendant un moment, la foule épouvantée demeura immobile, et puis, hommes, femmes et enfants, tout le monde se mit à courir vers le lieu d'où était partie la détonation. Les visages portaient le sombre masque de la peur et des mauvais présages. Lorsqu'ils atteignirent le jardin qui entourait la résidence du Cheik, ils furent témoins d'un drame horrible, écrit avec la mort. Nabih Malik était étendu sur le sol, un flot de sang s'échappant de sa poitrine. Près de lui se tenait Suzanne, la femme du Cheik Farris Rahal. Elle s'arrachait les cheveux et se déchirait les vêtements, elle battait des bras et elle criait sur un ton sauvage: «Nabih… Nabih… pourquoi as-tu fait ça?»

Les assistants étaient abasourdis. C'était comme si les

mains invisibles du destin avaient pris leurs coeurs de
leurs doigts glacés. Le prêtre trouva dans la main droite
du cadavre de Nabih la note qu'il lui avait remise le
matin, et il la glissa prestement dans sa poche sans que
la foule qui se pressait ne s'en aperçut.

Nabih fut transporté chez sa malheureuse mère qui
perdit la raison en voyant le corps sans vie de son fils
unique et qui le rejoignit bientôt dans l'Éternité.
Suzanne fut lentement ramenée chez elle, à mi-chemin
entre une vie défaillante et une mort qui se saisissait
d'elle.

Lorsque le Père Estephan fut rentré chez lui, les
épaules ployées, il verrouilla sa porte, mit ses lunettes et,
dans un murmure tremblant, se mit à lire le message
qu'il avait pris dans la main de Nabih qui les avait
quittés.

Mon cher ami Nabih,
Il faut que je quitte le village de mes pères, car ma
présence continuelle attire le malheur sur toi, sur ma
femme et sur moi-même. Tu as l'esprit noble, et tu
méprises la trahison envers un ami ou un voisin, et quoique je sache que Suzanne est innocente et vertueuse, je
sais aussi que le véritable amour qui unit ton coeur et
son coeur n'est pas en ton pouvoir et qu'il est hors
d'atteinte de mes espoirs. Je ne peux pas lutter plus
longtemps contre la puissante volonté de Dieu, comme il
m'est impossible d'arrêter les flots impétueux de la
grande rivière Kadischa.

«Tu as été mon ami sincère, Nabih: enfants, nous
jouions ensemble dans les champs. Et devant Dieu,
crois-moi, tu restes mon ami. Je te demande de penser à
moi avec bienveillance comme par le passé. Dis à
Suzanne que je l'aime, et que je lui ai fait tort en
l'entraînant à un mariage vide. Dis-lui que mon coeur

saignait d'une blessure brûlante chaque fois que je sortais d'un sommeil agité, dans le silence de la nuit, et que je la regardais s'agenouiller devant l'autel de Jésus en pleurant et en se frappant la poitrine de douleur.

«Il n'est pas de pire punition que celle endurée par une femme qui se trouve prisonnière entre un homme qu'elle aime et un autre qui l'aime. Suzanne a souffert de ce pénible et perpétuel conflit, mais elle a accompli ses devoirs d'épouse dans la tristesse, dans l'honneur et dans le silence. Elle a essayé, mais elle n'a pu étouffer l'honnête amour qu'elle éprouvait pour toi.

Je pars pour des pays lointains et je ne reviendrai jamais, car je ne peux plus me dresser comme un obstacle devant un amour réel et éternel, enlacé par les bras ouverts de Dieu. Puisse Dieu, dans son indicible sagesse, vous protéger et vous bénir tous les deux.

«FARRIS»

Le Père Estephan replia la lettre, la remit dans sa poche et s'assit devant la fenêtre qui donnait sur la lointaine vallée. Il navigua longtemps et profondément sur un océan de contemplation, et après avoir sagement et intensément médité, il se dressa soudain comme s'il avait trouvé entre les plis de ses pensées compliquées un horrible et délicat secret, dissimulé sous une astuce diabolique et enveloppé avec une habileté consommée. Il s'écria: «Comme tu es sagace, Farris! Comme ton crime est à la fois pesant et simple. Tu lui as envoyé du miel mêlé à un poison fatal, et tu l'as enfermé dans une lettre! Et lorsque Nabih a dirigé l'arme contre son coeur, c'est ton doigt qui a libéré le projectile, et c'est ta volonté qui a englobé la sienne... Comme tu es intelligent, Farris!»

Il retourna vers son siège en frissonnant. Il hocha la tête, se lissa la barbe du bout des doigts et sur ses lèvres apparut un sourire qui était plus terrible que la tragédie elle-même. Il ouvrit son livre de prière et commença à lire et à méditer. Parfois, il levait la tête pour écouter les pleurs et les lamentations des femmes qui venaient du coeur du village de Tula, tout près des Cèdres Sacrés du Liban.

IRAM, LA CITÉ DES HAUTES COLONNES

«Ne vois-tu pas comment ton Dieu
A traité avec Ad d'Iram, au moyen
De hautes colonnes telles qu'aucune colonne
Semblable n'a été fabriquée
Durant toute l'existence?»

Le Saint Coran

Le peuple Ad, avec son prophète Hud, est souvent cité dans le Saint Coran, et ses traditions appartiennent à l'Arabie antique. Son ancêtre éponyme, Ad, était de la quatrième génération après Noé. C'était un fils d'Aus, qui était fils d'Aram, qui était fils de Chem, qui était le premier fils de Noé.

Les Ads occupaient une grande région de l'Arabie méridionale qui s'étendait d'*Umman* à l'extrémité du Golfe Persique jusqu'à *Hadramaut* et *Yemen* à l'extrémité méridionale de la Mer Rouge. Les longues zones tortueuses d'*ahqaf* (sables) de leur domaine étaient irriguées par des canaux.

C'était un peuple d'une haute stature physique, et c'étaient des maçons et des constructeurs de grande valeur. Cependant, comme cela arrive souvent, leurs progrès les avaient poussés à abandonner le vrai Dieu, et les dirigeants épouvantaient le peuple par une oppression des plus sévères.

Une famine de trois ans les frappa, mais ils ne tinrent pas compte de l'avertissement et à la fin, une terrible et effrayante rafale de vent destructeur les anéantit, eux et leur civilisation. Des rescapés, connus sous le nom de Second Ad, ou *Thamud*, purent s'échapper et survécurent, mais ils subirent plus tard un destin semblable, probablement à cause des péchés du peuple.

La tombe du prophète Hud *(Qabr Nabi Hud)* est encore montrée de nos jours aux visiteurs d'*Hadramaut,* à 16 ° de latitude nord et à 49 1/2 ° de longitude est, à environ 145 kilomètres au nord de *Mukalla.* Des ruines et des inscriptions abondent dans toute la région, et un pélerinage annuel est organisé dans ce site au cours du mois de *Rajab.*(*)

Il semble qu'Iram ait été une ancienne capitale Ad en Arabie du sud, et elle s'enorgueillissait de son architecture élevée. Cependant, certains archéologues et historiens ne sont pas d'accord, et ils pensent qu'Iram est le nom d'un héros des Ads, et s'ils ont raison, la phrase descriptive «hautes colonnes» ne s'appliquerait pas aux édifices, mais aux gens eux-mêmes, car les Ads étaient une race de haute taille.

Cette région, appelée parfois *Arabia Felix* (l'Arabie heureuse) est une source d'intérêt, de dévotion et de prospérité pour de nombreux Arabes, car on a retrouvé parmi les nombreux vestiges anciens une grande quantité d'objets de valeur historique, religieuse et monétaire. Au temps de *Muawiya,* on découvrit une riche cachette de pierres précieuses et plus récemment, on mit à jour à *Najram* des sculptures d'or, d'argent et

---

(*) Bibliographie: «Hadramaut - Ses mystères dévoilés», par D. Van Der Meulen et H. Von Wissman, Leyden, 1932. (Note de l'Éditeur)

de bronze portant des inscriptions en Sabéen. Celles-ci ont été décrites en détail dans le *British Museum Quarterly,* Volume 4, Septembre 1937.

La source de la généalogie et de la géographie qui précèdent est le Saint Coran; Khalil Gibran a vraisemblablement basé sa pièce «Iram, la cité des Hautes Colonnes» sur ces informations, ou sur une mythologie orientale similaire dans la veine générale du bref conte arabe qui suit:

«Lorsque Shaddad, le fils d'Ad, devint le Grand Roi du Monde, il ordonna à mille Émirs de lui chercher un vaste pays, plein d'eau et d'air pur, où il puisse bâtir une Cité d'Or, loin des montagnes. Les dirigeants parcoururent le monde à la recherche d'un tel pays, et chaque Émir emmena avec lui mille hommes.

«Lorsque l'endroit fut trouvé, les architectes et les constructeurs y édifièrent une cité carrée de quarante lieues. Ils bâtirent un grand mur qui s'étendait sur cinq cents coudées et qui était fait de pierres d'onyx qu'ils recouvrirent de feuilles d'or. Celles-ci embuaient le regard lorsqu'elles étincelaient sous les rayons du soleil.

«Et le Roi Shaddad expédia ses gens vers tous les coins du monde et leur ordonna de déterrer de l'or dont il ferait du mortier pour les briques. Et à l'intérieur des murs de la cité, il construisit cent mille palais pour cent mille dignitaires de son royaume. Chaque palais était édifié sur des colonnes de chrysolite et de rubis mélangés d'or, et chaque colonne s'élevait de cent coudées vers le ciel.

«Et on amena les rivières à travers la ville, et leurs affluents à travers les palais. Les routes de la ville étaient en or, en pierres précieuses et en rubis, et les palais étaient richement ornés d'or et d'argent. Des arbres furent plantés sur les berges de la rivière. Leurs branches

étaient d'or vif, leurs feuilles d'argent et leurs fruits
d'onyx et de perles. Et les murs des palais étaient
agrémentés de musc et d'ambre gris.

«Et le Roi Shaddad se fit construire un jardin dont les
arbres étaient d'émeraudes et de rubis, et sur leurs branches chantaient des oiseaux faits d'or pur.»

* * * * *

LA PIÈCE

IRAM, LA CITÉ DES HAUTES COLONNES.

La scène se passe dans une petite forêt de noyers, de
grenadiers et de peupliers. Dans cette forêt, entre la
rivière Orantes (Nahr el'Asi) et le village d'Hermil, se
dresse, dans une clairière, une vieille maison solitaire.

Nous sommes à la mi-juillet de 1883, tard dans
    l'après-midi.

Personnages:
    Zaïn Abedin de Nahawand, 40 ans, Derviche Persan
        et mystique.
    Najib Rahmé, 30 ans, un érudit libanais.
    Amena Divine, âge inconnu, mystérieuse pro-
        phétesse, connue dans le voisinage comme la Houri
        de la Vallée.

* * * * *

Lorsque le rideau se lève, on voit Zaïn Abedin,
assis sous un arbre, la tête appuyée sur une main,
tracer de sa longue canne des dessins circulaires sur le
sol. Quelques instants plus tard, Najib Rahmé entre à
cheval dans la clairière. Il met pied à terre, attache les
rênes au tronc d'un arbre, essuie la poussière de ses

vêtements et s'approche de Zaïn Abedin.

Najib: La paix soit avec vous, monsieur.

Zaïn: La paix soit avec vous *(il détourne le visage et se murmure à lui-même):* Acceptons la paix... Mais la supériorité? Ca, c'est autre chose...

Najib: Est-ce bien la demeure d'Amena Divine?

Zaïn: Ce n'est qu'une de ses nombreuses demeures. Elle ne vit dans aucune, et pourtant, elle existe dans toutes.

Najib: J'ai interrogé beaucoup de gens, et pourtant personne ne savait qu'Amena Divine avait plusieurs demeures.

Zaïn: Ceci prouve que vos informateurs sont des gens qui ne voient qu'avec les yeux, qui n'entendent que par les oreilles. Amena Divine est partout et *(pointant son bâton vers l'est)* elle parcourt les collines et les vallées.

Najib: Reviendra-t-elle ici aujourd'hui?

Zaïn: Si le ciel le veut, elle reviendra aujourd'hui.

Najib (s'assied sur un rocher devant Zaïn et le regarde): Votre barbe m'apprend que vous êtes Persan.

Zaïn: Oui, je suis né à Nahawand, j'ai été élevé à Chizar et éduqué à Nissabour. J'ai parcouru l'est et l'ouest du monde, mais je suis revenu, car j'ai découvert que j'étais un étranger partout.

Najib: Nous sommes souvent étrangers à nous-mêmes.

Zaïn (sans relever le commentaire de Najib): En vérité, j'ai rencontré des milliers d'hommes, j'ai conversé avec eux et je n'en ai trouvé aucun qui ne soit satisfait de son environnement étroit. Ils se confinent dans leurs minuscules prisons, les seules qu'ils connaissent et qu'ils voient dans ce vaste monde.

Najib (désorienté par les paroles de Zaïn): L'homme n'est-il pas naturellement attaché au lieu de sa naissance?

Zaïn: Celui qui est limité dans son coeur et dans sa
pensée est enclin à aimer ce qui est limité dans
l'existence, et ceux qui ont la vue basse ne voient pas
plus loin qu'une coudée sur le sentier qu'ils foulent, ni
plus d'une coudée du mur contre lequel ils appuient
leurs épaules.

Najib: Nous ne sommes pas tous capables de voir avec
nos yeux intérieurs les immenses profondeurs de la
vie, et il est cruel de demander à ceux qui ont la vue
basse de voir ce qui est sombre ou lointain.

Zaïn: Ce que vous dites est vrai, mais n'est-il pas cruel
également de presser le vin d'une grappe verte?

Najib (après un bref silence de réflexion): Pendant de
nombreuses années, j'ai entendu des récits sur Amena
Divine. J'ai été fasciné par ces histoires, et j'ai décidé
de la rencontrer et de m'informer de ses secrets et de
ses mystères.

Zaïn: Personne en ce monde n'est capable de posséder
les secrets d'Amena Divine, de même qu'aucun humain ne peut parcourir le fond de la mer comme s'il se
promenait dans un jardin.

Najib: Je vous demande pardon, monsieur, car je ne
vous ai pas bien expliqué mon dessein. Je sais que je
suis incapable d'acquérir pour moi-même les secrets
d'Amena Divine. Mon principal espoir est qu'elle
veuille me raconter l'histoire de son entrée dans Iram,
la Cité des Hautes Colonnes, et le genre de choses
qu'elle a rencontrées dans cette Ville Dorée.

Zaïn: Il vous suffit de demeurer sincèrement devant la
porte de son rêve. Si elle s'ouvre, vous atteindrez
votre but. Si elle ne s'ouvre pas, vous n'aurez à vous
en prendre qu'à vous-même.

Najib: Je ne comprends pas vos étranges paroles.

Zaïn: Elles sont simples... simples en comparaison de
l'immense récompense que vous obtiendriez si vous

réussissiez. Amena Divine en sait plus sur les gens qu'ils n'en savent eux-mêmes, et elle peut percevoir d'un seul coup d'oeil tout ce qui est caché en eux. Si elle croit que vous en valez la peine, elle sera heureuse de converser avec vous et de vous conduire sur le véritable sentier de la lumière. Sinon, elle vous ignorera avec une force qui proclamera votre non-existence.

Najib: Que devrai-je faire et que devrai-je dire pour prouver ma valeur?

Zaïn: Il est vain et inutile de vouloir approcher Amena Divine avec des mots ou des faits, car elle n'écoute ni ne voit. Mais à travers l'âme de son oreille, elle entendra ce que vous ne dites pas, et à travers l'âme de son oeil, elle verra ce que vous ne faites pas.

Najib: Que vos paroles sont sages et belles!

Zaïn: Même si je parlais d'Amena Divine pendant un siècle, tout ce que je pourrais dire ne serait que le bourdonnement d'un muet qui s'efforcerait d'entonner un chant de beauté.

Najib: Savez-vous où cette femme étrange est née?

Zaïn: Son corps est né aux environs de Damas, mais tout le reste, plus grand que sa substance, est né dans le sein de Dieu.

Najib: Et ses parents?

Zaïn: Est-ce de quelque importance? Pouvez-vous convenablement étudier un élément en n'examinant que sa surface? Pouvez-vous prévoir le goût du vin en regardant simplement le récipient?

Najib: Vous dites vrai. Cependant, il doit y avoir un lien entre l'esprit et le corps, comme il y a un lien entre le corps et ce qui l'entoure immédiatement. Et comme je n'ai aucune foi dans la chance, je crois que la connaissance des antécédents d'Amena Divine serait intéressante pour moi. Elle me permettrait d'explorer le secret de sa vie.

Zaïn: Bien parlé! J'ignore tout de sa mère, sinon qu'elle
mourut à la naissance d'Amena, son enfant unique.
Son père était le Cheik Abdul Ghany, le fameux prophète aveugle, dont on croit qu'il était d'origine
divine, et qui fut reconnu comme l'Imam de son
temps en mysticisme. Que son âme obtienne la grâce
de Dieu! Il était fanatiquement attaché à sa fille, il
l'éduqua soigneusement et il versa dans son coeur
tout le contenu de son propre coeur. Tandis qu'elle
grandissait, il veilla à ce qu'elle acquît de lui toute sa
science et toute sa sagesse. En réalité, ses grandes connaissances n'étaient que peu de chose en comparaison
de cette sagesse dont Dieu avait déjà doté Amena. Et
il disait de sa fille: «De ma pénible obscurité a jailli
une grande lumière qui a illuminé ma route à travers
l'existence.» Lorsqu'Amena atteignit l'âge de 23 ans,
son père l'emmena avec lui en pèlerinage et lorsqu'ils
traversèrent le désert de Damas, laissant derrière eux
la cité lumineuse, le père aveugle attrapa une
mauvaise fièvre et mourut. Amena l'enterra et veilla
sur sa tombe pendant sept jours et sept nuits, appelant son esprit et s'informant des secrets cachés de
son âme. Et la septième nuit, l'esprit de son père la
délivra de sa veillée et lui ordonna de voyager vers le
sud-est, ce qu'elle fit. *(Zaïn cesse de parler, regarde
l'horizon lointain et poursuit au bout d'un moment):*
Elle reprit son voyage et se fraya un passage jusqu'à
ce qu'elle eût atteint le coeur du désert qu'on appelle
Rabh el Khali, et qu'à ma connaissance, aucune
caravane n'a jamais traversé. On dit que quelques
voyageurs ont atteint cet endroit dans les premiers
temps de la religion islamique. Les pèlerins croyaient
qu'Amena s'était perdue. Ils la pleurèrent comme si
elle était morte de faim et, lorsqu'ils revinrent, ils
narrèrent la tragédie à la population de Damas. Tous

ceux qui avaient connu le Cheik Abdul Ghany et son
étrange fille pleurèrent sur eux, mais après quelques
années, on les oublia. Cinq ans plus tard, Amena
Divine apparut à Musil et, à cause de sa sagesse sur-
naturelle, de sa science et de sa beauté, sa présence
transporta le peuple, comme un morceau argenté de
la nuit céleste tombant de la voûte bleue...

*Najib (l'interrompant, quoique manifestement intéressé
par le récit de Zaïn):* Amena a-t-elle révélé aux gens
son identité?

Zaïn: Elle n'a rien révélé sur elle-même. Elle s'est tenue
devant les Imams et les érudits sans se voiler la face,
elle a parlé de choses divines et immortelles et elle leur
a décrit la Cité des Hautes Colonnes de façon tellement éloquente que ses auditeurs en furent surpris et
captivés, et que le nombre de ses adeptes augmenta de
jour en jour. Les sages de la ville devinrent envieux et
se plaignirent à l'Émir qui lui ordonna de paraître devant lui, et lorsqu'elle se présenta, il lui mit entre les
mains un paquet d'or en la pressant de quitter les
limites de la ville. Elle refusa d'accepter l'or et, seule,
elle quitta la ville sous le couvert de la nuit. Elle poursuivit son voyage par Damas, Constantinople, Homs
et Tripoli, et dans chaque ville, elle apporta la lumière
aux coeurs des gens qui se rassemblaient autour
d'elle, attirés par son pouvoir magique. Néanmoins,
elle rencontra l'opposition des Imams de chaque cité
et son sort fut un exil perpétuel. Finalement, après
avoir décidé de mener une vie solitaire, elle vint en ce
lieu il y a quelques années. Elle se refusait tout, sauf
l'amour de Dieu, et ses méditations sur Ses mystères.
Ceci n'est qu'une petite esquisse de l'histoire
d'Amena Divine. Mais le pouvoir sacré que Dieu m'a
donné de comprendre quelque chose de son existence
idéale est le même que celui qui, dans la triomphante

ivresse du coeur, me rend incapable de décrire avec des mots terrestres les merveilles d'Amena Divine. Quel être humain pourrait récolter en une seule coupe toute la sagesse qui entoure le monde dans un grand nombre de récipients?

Najib: Ma gratitude, monsieur, pour les informations intéressantes et essentielles que vous m'avez apportées. Mon impatience de la voir est plus grande que jamais!

Zaïn (en lançant à Najib un regard perçant): Vous êtes Chrétien, n'est-ce pas?

Najib: Oui, je suis né Chrétien. Cependant, avec tout le respect que je dois à mes ancêtres qui m'ont légué une religion en même temps qu'un nom, je dois ajouter que si nous pouvions nous débarrasser des diverses religions, nous nous trouverions unis dans une seule grande foi religieuse pleine de fraternité.

Zaïn: Vos paroles sont sages, et sur le sujet d'une foi unique, personne n'est plus abondamment informée qu'Amena Divine. Pour les foules de toutes croyances et de toutes origines, elle est comme la rosée du matin qui tombe de haut et qui ressemble à des pierres précieuses sur les feuilles multicolores de toutes les fleurs. Oui… elle est comme la rosée du matin… (*À ce moment, Zaïn cesse de parler et regarde vers l'est en tendant soigneusement l'oreille. Puis il se lève en faisant signe à Najib d'être attentif et il lui dit dans un murmure plein d'agitation):* Amena Divine approche. Que la chance vous accompagne!

Najib (dans un murmure hésitant): Mes longs mois d'inquiétude vont peut-être bientôt trouver leur récompense. *(Il se met la main sur le front comme pour se calmer les nerfs et il constate un changement dans la qualité de l'atmosphère. Se souvenant des paroles de Zaïn à propos d'un échec possible, son ex-*

pression de joyeuse attente se transforme en un air de
profond souci, mais il demeure maintenant aussi im-
mobile qu'une statue de marbre.)

(Amena Divine entre en scène et se tient devant les
deux hommes. Elle est drapée dans une longue robe
de soie. Ses traits, ses gestes et son vêtement la font
ressembler à une de ces déesses que l'on adorait au
temps jadis plutôt qu'à une femme orientale de notre
époque. Il est impossible de lui donner un âge, même
approximatif, car son visage, quoique jeune, ne nous
apprend rien, et ses yeux profonds révèlent mille ans
de sagesse et de souffrances. Najib et Zaïn demeurent
respectueusement immobiles, comme s'ils étaient en
présence d'un des prophètes de Dieu.)

Amena *(après avoir regardé Najib comme si elle voulait*
lui transpercer le coeur de ses yeux magnifiques, lui
parle d'une voix sereine et assurée): Tu es venu pour
t'instruire à notre sujet, mais tu n'en sauras pas plus
sur nous que tu n'en sais sur toi-même, et tu
n'apprendras de nous que ce que tu apprends de toi.

Najib *(perplexe, et manifestant une crainte nerveuse):*
J'ai déjà vu, entendu et cru... Je suis content.

Amena: Ne te satisfais pas d'un contentement partiel,
car celui qui emplit du printemps de la vie une seule
jarre vide repartira avec deux jarres pleines. *(Amena*
tend une main vers lui. Il la prend avec révérence en-
tre ses deux mains et il lui embrasse le bout des doigts,
poussé par une émotion puissante et inconnue. Elle
offre alors son autre main à Zaïn Abedin, et il
l'embrasse. Najib semble heureux d'avoir, le premier,
suivi un protocole apparemment correct. Amena
Divine recule lentement.)

Amena *(Elle s'assied sur un rocher lisse et parle à Na-*
jib): Voici les sièges de Dieu. Assieds-toi. *(Najib*
s'assied à côté d'elle et Zaïn fait de même. Amena

continue, s'adressant à nouveau à Najib): Nous
voyons dans tes yeux la vraie lumière de Dieu, et celui
qui regarde la vraie lumière de Dieu verra en nous
notre réalité intérieure. Tu es sincère et tu aimes la
vérité, et c'est pourquoi tu désires en savoir davantage
sur la vérité. Si tu as quelques mots à dire, parle et
nous t'écouterons, et si tu as une question au fond du
coeur, pose-la et nous répondrons en toute franchise.

Najib: Je suis venu m'informer sur une question qui a
été un brûlant sujet de conversation parmi les
multitudes. Mais lorsque je me suis trouvé en ta
présence, j'ai compris l'énormité de la signification de
la vie, de la vérité et de Dieu, et maintenant, tout le
reste est sans importance. Je suis comme le pêcheur
qui a jeté son filet à la mer dans l'espoir qu'il se
remplisse d'assez de nourriture pour sa subsistance
d'un jour mais qui trouve, en le relevant, qu'il est
rempli de pierres précieuses éternelles.

Amena: Je lis dans ton coeur que tu as entendu parler de
notre entrée dans Iram, la Cité des Hautes Colonnes,
et que tu voudrais maintenant en apprendre plus sur
la Ville Dorée.

Najib (honteux, mais vivement intéressé): Oui, depuis
mon enfance, le nom d'Iram, la Cité des Hautes Colonnes, a empli mes rêves, a rongé mes pensées et a
agité mon coeur par son sens caché et sa terrible
signification.

*Amena (Elle lève la tête et ferme les yeux, et d'une voix
qui semble à Najib sortir du coeur même de l'espace,
elle parle sur un ton solonnel):* Oui, nous avons atteint la Ville Dorée et nous y avons séjourné. Nous
avons rempli nos âmes de ses parfums, nos coeurs de
ses secrets, nos bourses de ses perles et de ses rubis,
nos oreilles de sa musique, nos yeux de sa beauté. Et
celui qui doute de ce que nous avons vu, entendu et

découvert là-bas, doute de lui-même devant Dieu et les hommes.

Najib (lentement, avec difficulté et humiliation): Je ne suis rien d'autre qu'un enfant qui zézaye et qui hésite, incapable de s'exprimer. Veux-tu avoir la gentillesse de m'en expliquer davantage et de me pardonner mes nombreuses questions?

Amena: Demande ce que tu veux, car Dieu a plusieurs portes qui donnent sur la vérité. Il les ouvre à tous ceux qui y frappent avec une main de foi.

Najib: As-tu pénétré dans Iram, la Cité des Hautes Colonnes, avec ton corps et ton esprit? Cette Cité Dorée est-elle bâtie avec des éléments brillants tirés de ce monde et érigée en un lieu précis de la terre, ou est-ce un cité spirituelle et imaginaire que seuls peuvent atteindre dans leur extase les prophètes de Dieu lorsque la Providence étend sur leurs âmes le voile de l'Éternité?

Amena: Tout sur cette terre, ce qui est visible comme ce qui est invisible, n'est que spirituel. J'ai pénétré dans la Cité Dorée avec mon corps qui n'est qu'une manifestation terrestre de mon plus vaste esprit, et tu comprendras la grandeur qu'il possède au-delà de sa proximité. Oui... si tu veux fermer les yeux et ouvrir ton coeur et tes perceptions intérieures, tu découvriras le commencement et la fin de l'existence... Ce commencement qui devient à son tour une finalité, et cette finalité qui doit certainement devenir un commencement.

Najib: Chaque homme est-il ainsi capable de fermer les yeux et de voir la vérité toute nue de la vie et de l'existence?

Amena: L'homme a reçu de Dieu le pouvoir d'espérer et d'espérer avec ferveur jusqu'à ce que l'objet de ses espérances retire de ses yeux le voile de l'oubli, ce qui lui permettra de voir enfin son véritable moi. Et celui qui voit son moi réel voit la réalité de la vie réelle tant pour lui-même que pour toute l'humanité et pour toutes choses.

Najib (se mettant les deux mains sur la poitrine): Alors, tout ce que je puis voir, penser, entendre et toucher dans cet univers existe ici-même dans mon propre coeur?

Amena: Tout ce qui se trouve dans le vaste univers existe en toi, avec toi et pour toi.

Najib: Alors, je peux dire en toute vérité qu'Iram, la Cité des Hautes Colonnes, n'est pas très éloignée, mais que je la trouverai en moi-même, dans l'entité qui existe sous le nom de Najib Rahmé!

Amena: Tout ce qui existe dans la création existe en toi, et tout ce qui existe en toi existe dans la création. Il n'est aucune frontière entre toi et les choses les plus proches, et il n'y a pas de distance entre toi et les choses les plus lointaines. Toutes choses, de la plus basse à la plus élevée, de la plus petite à la plus grande sont en toi sur un pied d'égalité. Dans un atome on trouve tous les éléments de la terre. Dans un seul mouvement de l'esprit se trouvent les mouvements de toutes les lois de l'existence. Dans une goutte d'eau se trouvent les secrets de tous les océans infinis. Dans un seul aspect de *toi* se trouvent tous les aspects de l'existence.

Najib (dépassé par l'étendue du sujet et, après un bref silence qui lui a permis d'assimiler entièrement ce qu'il vient d'apprendre): J'ai entendu dire que tu as voyagé de nombreux jours avant d'atteindre le coeur du désert de Rabh el Khali, et que c'est l'esprit de ton père qui te l'a révélé et qui a guidé tes pas jusqu'à ce que tu atteignes la Cité Dorée. Si quelqu'un désire atteindre cette cité, doit-il se trouver dans l'état spirituel

qui était le tien à cette époque, et faut-il qu'il possède
ta sagesse pour pouvoir entrer dans le céleste endroit
que tu as visité?

Amena: Nous avons traversé le désert, nous avons souffert des affres de la faim, de la folie de la soif, de la
crainte du jour, des horreurs de la nuit et de l'effrayant silence de l'éternité avant de voir les murs de la
Ville Dorée. Mais nombreux sont ceux qui ont atteint
la cité de Dieu avant nous sans avoir marché d'une
seule coudée, et ils se sont plongés dans sa beauté
et son éclat sans avoir souffert du corps ou de l'esprit.
En vérité, je te le dis, beaucoup ont visité la Cité Sainte sans avoir jamais quitté le lieu de leur naissance.
*(Amena Divine s'interrompt et demeure un moment
silencieuse. Puis elle montre les arbres et les myrtes
qui l'entourent avant de poursuivre):* Pour chaque
semence que l'automne laisse tomber dans le sein de
la terre, il existe une manière différente de séparer la
cosse du grain. Alors se créent les feuilles, puis les
fleurs, puis les fruits. Mais quelle que soit la manière
dont cela se passe, ces plantes doivent entreprendre
un seul pélerinage, et leur mission est de se dresser de-
vent la face du soleil.

*Zaïn (se recule avec grâce, impressionné par Amena
comme si elle venait d'un monde suprême. D'une voix
inspirée et sur un ton de prière, il s'écrie):* Dieu est
grand! Il n'y a d'autre Dieu qu'Allah, le Miséricordieux, qui connaît nos besoins.

Amena: Allah est grand... Il n'y a d'autre Dieu
qu'Allah... Il n'y a rien qu'Allah!

*Zaïn (Répète les paroles d'Amena dans un murmure à
peine audible, d'une voix tremblante et fervente.)*

*Najib (regarde Amena Divine comme s'il était en transe,
et il dit, d'une voix forte, pleine de défi):* Il n'y a
d'autre Dieu que *Dieu!*

Amena (surprise): Il n'y a d'autre Dieu qu'*Allah!*... Il
n'existe rien d'autre qu'*Allah*. Tu peux prononcer ces
mots tout en restant chrétien, car un Dieu qui est bon
ignore la ségrégation entre les mots et les noms, et si
Dieu refusait sa bénédiction à ceux qui suivent une
voie différente vers l'Éternité, aucun homme ne
devrait l'adorer(*).

*Najib (baisse la tête, ferme les yeux et répète la prière
d'Amena à Allah. Il lève la tête et dit):* J'adresserai
cette prière au Dieu qui me montrera le véritable sentier qui mène à Lui, et je continuerai à Lui dire ces
mots jusqu'à la fin de ma vie, car je suis à la recherche
de la vérité. Et mes prières à Dieu sont des prières *Au
Dieu* quel qu'Il soit et quel que soit Son nom... J'aime
Dieu, et j'aimerai Dieu toute ma vie.

Amena: Ta vie n'a pas de fin, et tu vivras éternellement.

Najib: Qui suis-je et *Que* suis-je pour vivre de toute éternité?

Amena: Tu es toi, et comme tel, tu es une créature de
Dieu, et c'est pourquoi tu es tout.

Najib: Amena Divine, je sais que les particules dont est
composé mon propre *moi* dureront aussi longtemps
que je serai là, mais cette *pensée* que j'appelle moi-
même demeurera-t-elle? Cet éveil nouveau, indistinct,
enveloppé dans le léger sommeil de l'aube demeurera-
t-il? Ces espérances et ces désirs, ces joies et ces peines
demeureront-ils? Et les tremblantes imaginations de
mon sommeil troublé, brillant dans la vérité,
demeureront-elles?

*Amena (elle lève les yeux vers le ciel comme si elle cher-
chait quelque chose dans la grande poche de l'espace.*

(*) Au Proche Orient, on apprend aux Chrétiens pratiquants que
c'est un péché de répéter une prière qui appartient à la religion
islamique (Note de l'Éditeur)

Elle parle alors d'une voix forte et claire): Tout ce qui existe demeure pour toujours, et l'existence même de l'existence est la preuve de son éternité. Mais sans cette notion, qui est la connaissance de l'être parfait, l'homme ne saurait jamais s'il y a une existence ou une non-existence. Si l'existence éternelle est modifiée, elle doit devenir plus belle encore. Et si elle disparaît, elle doit revenir avec une image encore plus sublime. Et si elle dort, elle doit rêver d'un meilleur réveil, car elle sera plus grande encore après sa renaissance.

J'ai pitié de ceux qui admettent l'éternité des éléments dont l'oeil est fait mais qui doutent en même temps de l'éternité des différents objets visibles qui utilisent l'oeil comme intermédiaire.

J'éprouve de la sympathie pour celui qui divise la vie en deux parties et qui en même temps place sa foi dans l'une d'elles et doute de l'autre.

Je suis attristé par celui qui regarde les montagnes et les plaines sur lesquelles le soleil jette ses rayons, et qui écoute la brise chanter le chant des branches minces, qui respire le parfum des fleurs et du jasmin et qui se dit ensuite à lui-même: «Non... Ce que je vois et ce que j'entends passera, ce que je sais et ce que je sens s'évanouira.» Cette âme simple qui contemple et qui voit avec respect les joies et les peines qui l'entourent, et qui nie ensuite la perpétuité de leur existence, s'évanouira elle-même comme la vapeur dans l'air, et disparaîtra car elle cherche l'obscurité en tournant le dos à la vérité. À dire vrai, c'est une âme vivante qui nie sa propre existence car elle nie l'existence des *autres* choses de Dieu.

Najib (plein d'excitation): Amena Divine, je crois en mon existence, et celui qui écoute ta parole et ne te croit pas ressemble plus à un solide roc qu'à un être humain.

Amena: Dieu a placé en chaque être humain un vrai guide vers la lumière, mais l'homme lutte pour chercher la lumière en dehors de lui sans se rendre compte que la vie qu'il cherche est en lui.

Najib: Existe-t-il la moindre lumière en dehors du corps qui nous permettrait d'illuminer la route menant aux profondeurs qui sont en nous? Possédons-nous quelque pouvoir qui puisse remuer nos esprits, éveiller en nous la compréhension de notre vivant oubli et nous montrer la voie vers la science éternelle? *(Il demeure un moment silencieux, en ayant apparemment peur de poursuivre. Puis, il continue comme s'il avait surmonté ses réticences):* L'âme de ton père ne t'a-t-elle pas révélé le secret de l'emprisonnement terrestre de l'âme?

Amena: Il est vain pour le voyageur de frapper à la porte d'une maison vide. L'homme demeure muet entre la non-existence qui est en lui et la réalité de ce qui l'entoure. Si nous ne possédons pas ce que nous avons en nous-mêmes, nous ne pouvons avoir ce que nous appelons notre environnement. L'âme de mon père m'a visitée lorsque mon âme en appelait à la sienne et elle a révélé à ma science externe ce que ma connaissance intérieure savait déjà. C'est pourquoi, simplement, s'il n'y avait pas eu la faim et la soif que j'éprouvais, je n'aurais obtenu ni nourriture ni eau de mon environnement. Et s'il n'y avait pas eu le désir et l'affection qui étaient en moi, je n'aurais pas découvert l'objet de mon désir et de mon affection autour de moi dans la Ville Dorée.

Najib: Chacun est-il capable de filer un fil depuis les nerfs de son désir et de son affection et de le fixer entre son âme et une âme qui s'en est allée? Est-il un peuple assez doué pour pouvoir parler aux esprits et comprendre leur volonté et leurs desseins?

Amena: Entre le peuple de l'éternité et le peuple de la terre, il existe une communication constante, et tous se soumettent à la volonté de cette puissance invisible. Souvent, un individu accomplit un acte en croyant qu'il est né de sa propre volonté, avec son accord et sur son ordre, mais en fait, il a été poussé et guidé de façon précise pour l'accomplir. Beaucoup de grands hommes ont connu la gloire en se soumettant complètement à la volonté de l'esprit, sans opposer la moindre résistance ou la moindre réticence à ses ordres, comme le violon se soumet à la totale volonté d'un bon musicien.

Entre le monde spirituel et le monde de la substance, il y a un sentier que nous parcourons dans une sorte d'étourdissement. Il nous atteint, et nous sommes inconscients de sa force, et quand nous revenons à nous, nous découvrons que nous transportons dans nos mains de chair les semences que nous devrons soigneusement planter dans votre vie quotidienne, en accomplissant de bonnes actions et en prononçant de belles paroles. S'il n'y avait pas ce sentier entre nos vies et les vies de ceux qui nous ont quittés, aucun prophète, aucun poète, aucun savant ne se serait manifesté parmi les hommes.

(Amena baisse la voix jusqu'à ce qu'elle ne soit plus qu'un murmure, et poursuit): En vérité, je te le dis, et la fin des temps le démontrera, il y a un lien entre le monde d'en-haut et le monde d'en-bas, aussi sûrement qu'il y en a entre une mère et son enfant. Nous sommes entourés d'une atmosphère intuitive qui attire notre conscience interne, d'une connaissance qui met notre jugement en garde, et d'une puissance qui renforce notre propre pouvoir. Je te le dis, notre doute ne contredit ni ne fortifie notre abandon à ce dont nous doutons, et le fait de nous perdre en auto-

satisfaction ne nous protégera pas de l'accomplissement de leurs desseins par les esprits. Fermer les yeux
à la réalité de notre être spirituel ne cachera pas celui-
ci aux regards de l'univers. Et si nous cessons de marcher, nous continuerons cependant à marcher s'ils
marchent... Si nous demeurons immobiles, nous continuerons à nous mouvoir s'ils se meuvent... Et si nous
nous taisons, nous continuerons à parler avec leurs
voix.

Notre sommeil ne peut pas détourner de nous
l'influence de leur éveil, et notre éveil ne peut
détourner leurs rêves des scènes de notre imagination,
car eux et nous sommes deux mondes englobés dans
un seul monde... Eux et nous sommes deux esprits
enveloppés en un seul esprit... Eux et nous sommes
deux existences unies par une seule Conscience
Suprême et Éternelle, qui est au-dessus de tout et qui
n'a ni commencement ni fin.

*Najib (radieux; ses pensées et ses sentiments suivent
maintenant le cours des révélations d'Amena Divine):*
Le jour arrivera-t-il jamais où l'homme découvrira à
travers la connaissance et l'expérience scientifique, et
par une manifestation terrestre, ce que l'esprit a toujours su à travers Dieu et ce que nos coeurs ont connu
par la puissance de leurs désirs? Devons-nous atten-
dre la mort pour établir l'éternité de notre moi idéal?
Le jour viendra-t-il jamais où nous sentirons avec les
doigts de la main les grands secrets que nous ne
percevons que par les doigts de la foi?

Amena: Oui, ce jour viendra. Mais qu'ils sont ignorants
ceux qui voient indubitablement l'existence abstraite
avec *certains* de leurs sens, mais qui veulent continuer
à douter jusqu'à ce que l'existence se révèle à *tous*
leurs sens! La foi n'est-elle pas aussi sûrement le sens
du coeur que la vue est celui de l'oeil? Et qu'il a

l'esprit étroit celui qui entend chanter le merle et qui voit voler au-dessus des branches, mais qui doute de ce qu'il a vu et entendu aussi longtemps qu'il n'a pas saisi l'oiseau entre les mains! Une *partie* de ses sens ne lui suffisait-elle pas? Qu'il est étrange celui qui rêve véritablement d'une belle réalité et qui, ensuite, lorsqu'il tente sans succès de lui donner forme, doute du rêve, blasphème la réalité et se méfie de la beauté!

Qu'il est aveugle celui qui imagine et qui projette un objet dans toutes ses formes et sous tous ses angles, et qui croit que son idée et son imagination étaient vides de sens s'il n'arrive pas à en apporter la preuve par des mesures superficielles et par des raisonnements verbaux! Mais s'il y réfléchit avec sincérité, et s'il médite sur ces événements, il acquerra la conviction que son idée était aussi réelle que l'oiseau dans le ciel, mais qu'elle ne s'est pas encore cristallisée, et que l'idée est une fraction de la connaissance que l'on ne peut prouver au moyen de chiffres et de mots parce qu'elle est trop élevée et trop vaste pour être emprisonnée en ce moment, trop profondément implantée dans le spirituel pour se soumettre à la réalité.

Najib (convaincu, mais curieux): Y a-t-il un être véritable dans toute imagination, et une connaissance réelle dans toute idée et dans toute image?

Amena: En vérité, il est impossible au miroir de l'âme de refléter dans l'imagination quelque chose qui ne se trouve pas devant lui. Il est impossible au calme lac de montrer dans sa profondeur le dessin d'une montagne, d'un tableau, d'un arbre ou d'un nuage qui n'existent pas tout près de lui. Il est impossible à la lumière de projeter sur la terre l'ombre d'un objet qui n'a pas d'existence. On ne peut voir, entendre ou sentir de quelque manière que ce soit quelque chose qui n'aurait pas une *existence* réelle. Lorsque vous connaissez quelque chose, vous y *croyez,* et le véritable croyant voit son *discernement spirituel* ce que l'investigateur superficiel ne peut voir avec les yeux de la tête, et il comprend par la pensée *intérieure* ce que l'examinateur externe ne peut comprendre au moyen de l'exigeant processus de pensée qu'il a acquis.

Le croyant prend conscience des réalités sacrées grâce à des sens profonds différents de ceux qu'utilisent les autres. Un croyant considère ses sens comme un grand mur qui l'entoure, et lorsqu'il se promène sur la route, il dit: «La ville n'a pas d'issue, mais elle est parfaite à l'intérieur».

(Amena se lève, s'avance vers Najib et, après un moment, elle dit): Le croyant vivra tout au long des jours et des nuits, et celui qui n'a pas la foi ne vivra que quelques heures.

Qu'elle est petite, la vie de celui qui place ses mains entre son visage et le monde, et qui ne voit que les étroites lignes de ses mains!

Qu'ils sont injustes envers eux-mêmes ceux qui tournent le dos au soleil et qui ne voient rien d'autre que l'ombre de leur moi physique projetée sur la terre!

Najib (se mettant debout pour se préparer à partir): Dirai-je aux gens qu'Iram, la Cité des Hautes Colonnes, est une ville spirituelle, une ville de rêves, et qu'Amena Divine l'a atteinte grâce à son désir et à son affection pour elle, et par la porte de la foi?

Amena: Dis-leur qu'Iram, la Cité des Hautes Colonnes, est une vraie ville qui existe de la même existence visible que les océans, les montagnes, les forêts et les déserts, car tout est réel dans l'éternité. Dis-leur qu'Amena Divine l'a atteinte après avoir traversé le grand désert, après avoir souffert des agonies de la soif, des affres de la faim, des chagrins et des horreurs de la solitude. Dis-leur que la Ville Dorée a été édifiée par les géants des siècles avec les éléments brillants de l'existence, et qu'ils ne l'ont pas cachée au peuple, mais que c'est le peuple qui s'en est détourné. Et dis-leur que celui qui perd son chemin avant d'atteindre Iram doit s'en prendre au guide et non à la route dure et difficile. Dis-leur que celui qui n'allume pas sa lampe de vérité trouvera la route sombre et impraticable. *(Amena regarde vers le ciel avec des yeux pleins d'amour, tandis que la douceur et la paix émanent de son visage.)*

Najib (il s'approche lentement d'Amena, la tête baissée. Il lui prend la main et murmure): Le soir tombe et je dois retourner vers les demeures des hommes avant que l'obscurité n'engloutisse la route.

Amena: Sous la direction de Dieu, ta route sera éclairée.

Najib: Je marcherai à la lueur de la grande torche que tu as placée dans ma main tremblante.

Amena: Marche dans la lumière de la Vérité que la Tempête ne peut éteindre. *(Elle regarde longuement et intensément Najib, dans l'attitude d'une mère aimante. Puis elle s'en va vers l'est, marche entre les arbres et disparaît à sa vue.)*

Zaïn: Puis-je vous accompagner jusque chez les gens?

Najib: Ce me sera un plaisir. Mais je croyais que vous viviez près d'Amena Divine. Je vous ai envié en me disant: «Je voudrais que ce soit moi qui habite ici.»

Zaïn: On peut vivre loin du soleil, mais on ne peut vivre près de lui. Pourtant, nous en avons besoin. Je viens souvent ici pour être béni et conseillé, puis je m'en vais satisfait. *(Najib détache les rênes et, menant son cheval à la main, s'éloigne avec Zaïn Abedin.)*

RIDEAU

LE JOUR DE MA NAISSANCE

C'est en ce jour de l'année que ma
Mère m'a mis au monde. En
Ce jour, voici un quart de siècle, le
Grand Silence m'a déposé entre les bras
De l'existence, plein de lamentations
De larmes et de conflits.

Vingt-cinq fois, j'ai fait le tour du
Flamboyant soleil, et bien plus souvent
La lune a fait le tour de ma petitesse. Cependant
Je n'ai pas appris les secrets de la lumière, et
Je n'ai pas compris le mystère de l'obscurité.

J'ai voyagé pendant ces vingt-cinq ans
Avec la terre, le soleil et les planètes
À travers l'Infini Suprême. Cependant, mon âme
Aspire à la compréhension de la Loi Éternelle
Comme la grotte creuse réverbère
L'écho des vagues de la mer sans jamais se remplir.

La vie existe à travers l'existence du
Système céleste, mais elle n'est pas consciente
De la force illimitée du firmament. Et l'âme
Chante les louanges du flux et du reflux
D'une mélodie céleste, mais elle n'en perçoit pas
La signification.

Il y a vingt-cinq ans, la main du Temps
A enregistré mon existence, et je suis une page vivante
Du livre de l'Univers. Cependant, maintenant je ne suis
Rien. Rien qu'un vague mot avec un sens
De complication qui tantôt ne symbolise rien
Et tantôt bien des choses.

Les pensées et les souvenirs, en ce jour de
Chaque année, paralysent mon âme et arrêtent
La procession de la vie en me révélant
Les fantômes des nuits gâchées qu'ils balaient
Comme le grand vent disperse
Le mince nuage de l'horizon. Et ils
S'évanouissent dans le coin sombre de ma hutte
Comme le murmure d'un étroit ruisseau doit
S'évanouir dans la vallée qui s'élargit au loin.

En ce jour de chaque année, les esprits
Qui ont façonné mon âme me visitent
Du fond de l'Éternité et se rassemblent autour
De moi en chantant les tristes chants des souvenirs.
Puis ils se retirent vivement et disparaissent
Derrière les objets visibles comme un vol
D'oiseaux qui se jettent sur une aire de battage
Abandonnée où ils ne trouvent plus de grains.
Ils tournoient, déçus, et s'en vont rapidement
Vers un lieu plus accueillant.

En ce jour, je médite sur le passé
Dont les desseins intriguent mon esprit
Et bouleversent mon coeur, et je le regarde
Comme je regarderais un miroir embué
Dans lequel je ne verrais rien que les aspects
Moribonds des années écoulées.
Et lorsque je regarde à nouveau, je vois mon propre moi
Contemplant mon triste moi et
J'interroge le Chagrin, mais il reste muet.
Le Chagrin, s'il pouvait parler
Se montrerait plus doux que la joie d'une chanson.

Durant mes vingt-cinq ans de vie,
J'ai aimé bien des choses, et souvent,
J'ai aimé ce que haïssent les gens
Et haï ce qu'ils
Aimaient.

Et ce que j'ai aimé lorsque j'étais
Enfant, je l'aime encore et je continuerai
À l'aimer pour toujours. La puissance
d'aimer est le plus grand don de Dieu à l'homme,
Car elle ne sera jamais retirée au
Bienheureux qui aime.

J'aime la mort et je la pare
De doux noms et je la loue secrètement,
Face à des foules d'auditeurs sarcastiques,
En lui murmurant des mots d'amour.

Quoique je n'aie pas renoncé à ma haute
Allégeance envers la mort, je suis aussi
Devenu profondément amoureux de la vie,
Car la vie et la mort ont pour moi le même charme,
La même douceur, le même attrait, et elles

Ont joint leurs mains pour nourrir en moi
Mes désirs et mes affections et pour
Partager avec moi mon amour et mes souffrances.

J'aime la liberté, et mon amour pour la liberté
Vraie a grandi avec ma croissante connaissance
De la soumission du peuple à l'esclavage,
À l'oppression et à la tyrannie, et de son
Abandon aux horribles idoles
Élevées par les siècles passés et polies
Par les lèvres desséchées des esclaves.

Mais j'aime ces esclaves de tout mon amour
Pour la liberté, car ils ont aveuglément
Embrassé les mâchoires des bêtes féroces dans une
Inconscience calme et joyeuse, sans ressentir
Le venin des vipères souriantes et en creusant
Leurs tombes de leurs propres doigts, sans le savoir.

Mon amour pour la liberté est mon plus grand amour,
Car j'ai découvert que c'était une belle
Jeune fille, affaiblie par l'isolement et
Desséchée par la solitude jusqu'à ressembler
À un spectre qui erre au milieu
Des demeures sans qu'on la reconnaisse ou qu'on
l'accueille,
Et qui s'arrête sur les trottoirs
En appelant les passants
Qui ne prennent pas garde à elle.

Durant ces vingt et cinq années, j'ai aimé
Le bonheur comme le font tous les hommes.
Je l'ai recherché sans cesse mais je ne l'ai
Pas trouvé sur les sentiers des hommes. Et je n'ai pas
Découvert ses empreintes.

Sur le sable, devant les palais des hommes.
Et je n'ai pas entendu l'écho de sa voix
Aux fenêtres des temples des hommes.

J'ai cherché le bonheur dans ma solitude et
Lorsque je m'en suis approché, j'ai entendu mon âme
Me murmurer à l'oreille: «Le bonheur
Que tu cherches est comme une vierge née
Et élevée dans les profondeurs de chaque coeur,
Et il ne sort pas de son lieu de naissance.»
Et lorsque j'ai ouvert mon coeur pour le trouver,
Je n'ai découvert dans son domaine que
Son miroir, son berceau et ses vêtements.
Mais le bonheur n'y était pas.

J'aime l'humanité, et j'aime d'un même amour
Les trois races humaines... Celle qui
Blasphème la vie, celle qui la bénit,
Et celle qui médite sur elle.
J'aime la première pour sa misère,
La seconde pour sa générosité et
La troisième pour sa paisible sensibilité.

* * * * *

Ainsi, avec amour, vingt-cinq années
Ont fui dans le néant, et ainsi
S'en sont vivement allés les jours et les nuits
Tombés de la route de ma vie
En virevoltant comme les feuilles
Mortes des arbres sous les vents
D'automne.

Aujourd'hui, je me suis arrêté en chemin comme
Le voyageur fatigué qui n'a pas encore atteint
Sa destination mais cherche à connaître
Sa position. Je regarde dans toutes les directions, mais
Je ne puis trouver trace d'aucune partie de mon passé
Que je pourrais montrer du doigt en disant:
«Ceci est à moi!»

Et je ne puis récolter la moisson des saisons
De mes années, car mes huches ne contiennent
Que des parchemins couverts d'encre
Noire et des peintures
Sur lesquelles n'apparaissent que des lignes et des
couleurs.

Ces documents et ces tableaux m'ont seulement
Permis d'ensevelir et d'enterrer
Mon amour, mes pensées et mes rêves
Tout comme le semeur enterre les graines
Dans le coeur de la terre.
Mais lorsque le semeur répand ses graines dans
Le coeur de la terre, il rentre le soir
À la maison dans l'attente et dans l'espoir
Du jour de la moisson. Mais c'est en désespoir
Que j'ai semé les graines intérieures de mon coeur,
Et l'attente et l'espérance sont vaines.

Et maintenant, puisque j'ai accompli mes cinq
Et vingt voyages autour du soleil, je regarde
Le passé à travers un voile épais,
De soupirs et de chagrins, et le futur
Silencieux n'est éclairé pour moi
Que par la triste lampe du passé.

Je regarde l'univers à travers
La fenêtre de ma hutte et j'examine
Les visages des hommes. J'entends leurs voix qui
montent
Dans l'espace, j'entends leurs pas qui martèlent
Les pavés. Je perçois les
Révélations de leurs esprits, les
Vibrations de leurs désirs et les
Battements de leurs coeurs.

Et je vois les enfants courir et
Rire, jouer et pleurer. Et j'observe
Les jeunes gens qui marchent la tête haute comme
s'ils lisaient
Et chantaient le Kaseeda de la jeunesse entre
Les bords de leurs yeux, entourés par
Les brillants rayons de soleil.

Et je contemple les jeunes filles qui se promènent
Avec grâce, en se balançant comme de tendres
Petites branches, en souriant comme des fleurs et
En regardant les jeunes gens avec les
Yeux tremblants de l'amour.

Et je vois les vieillards qui marchent lentement
Le dos courbé, appuyés sur leurs
Bâtons et regardant le sol comme s'ils y
Cherchaient un trésor perdu au temps de leur
jeunesse.

J'observe ces images et ces fantômes
Qui se déplacent et qui rampent par les sentiers
Et les routes de la ville.

Puis je regarde au-delà de la cité et je médite
Sur la nature sauvage, sur sa vénérable
Beauté et sur son éloquent silence. Sur
Ses tertres, ses vallées et ses grands arbres. Sur
Ses fleurs odorantes, sur ses ruisseaux qui courent,
Sur ses oiseaux qui chantent.

Puis je regarde au-delà de la nature sauvage et
Je contemple la mer avec ses miracles
Magiques, les secrets de ses profondeurs, les
Vagues écumantes et furieuses de sa
Surface. Les profondeurs sont calmes.

Puis je regarde au-delà de l'océan et je vois
Le ciel infini avec ses brillantes étoiles.
Avec ses soleils, ses lunes et ses planètes. Avec
Ses forces gigantesques et la myriade d'éléments
Qui obéissent sans se tromper à la grande
Loi qui n'a ni commencement ni
Fin.

Je réfléchis à tout cela d'entre
Mes murs, oubliant mes vingt-cinq
Ans, et toutes les années qui les ont
Précédés, et tous les siècles à venir.

* * * * *

À ce moment, ma propre existence et tout
Mon environnement ressemblent au faible
Souffle d'un petit enfant qui tremble
Dans le vide profond et éternel d'un espace
Suprême et sans limites.

Mais cette entité insignifiante...
Ce moi qui est moi-même et dont j'entends
Constamment le mouvement et les cris,
Soulève maintenant vers l'immense firmament
Des ailes qui se renforcent, et il
Étend les mains dans toutes les directions
En oscillant et en se brisant sur ce jour
Qui m'a amené à la vie, et qui a fait entrer
La vie en moi.

Alors, une voix tonitruante s'élève
Du Saint des Saints qui est en moi,
Et elle dit: «La paix soit avec toi, la Vie!
La paix soit avec toi, le Réveil!
La paix soit avec toi, la Révélation!
La paix soit avec toi, oh Jour, qui
Enveloppes l'obscurité de la terre
De ta brillante lumière!

La paix soit avec toi, oh Nuit,
À travers l'obscurité de qui brillent
Les lumières du ciel.

La paix soit avec vous, Saisons de
L'année!
La paix soit avec toi, Printemps, qui
Ramènes la jeunesse à la terre!
La paix soit avec toi, Été, qui
Proclames la gloire du soleil!
La paix soit avec toi, Automne, qui
Donnes avec joie les fruits du
Travail et la moisson du labeur!
La paix soit avec toi, Hiver, dont
La rage et la tempête rendent à
La nature sa force endormie!

La paix soit avec vous, Années, qui
Révélez ce que les ans ont caché!
La paix soit avec vous, Siècles, qui
Construisez ce que les siècles ont détruit!
La paix soit avec toi, Temps, qui nous mènes
À la plénitude de la mort!
La paix soit avec toi, Coeur, qui
Bats en paix alors que tu es noyé
De larmes!
La paix soit avec vous, Lèvres, qui
Prononcez de joyeux mots de bienvenue pendant
Que vous goûtez le fiel et le vinaigre
De la vie!
La paix soit avec toi, Âme, qui
Tiens le gouvernail de la vie et de
La mort pendant que tu te caches à nous
Derrière le rideau du Soleil!»

MÉDITATIONS DANS LA TRISTESSE

Les souffrances des foules sont comme les affres d'une douleur qui ronge, et dans la bouche de la société, il y a de nombreuses dents gâtées et douloureuses. Mais la société refuse les soins attentifs et les traitements de longue durée. Elle se contente de polir l'extérieur et d'obturer la dent avec de l'or brillant et resplendissant qui empêche le regard d'apercevoir la carie. Mais le patient ne peut se faire d'illusions sur la douleur qui ne cesse pas.

Nombreux sont les dentistes sociaux qui tentent de guérir les maux du monde avec de beaux plombages, et nombreuses sont les victimes qui cèdent à la volonté des réformateurs et qui augmentent ainsi leurs propres souffrances, qui compromettent davantage leurs forces déclinantes et qui se leurrent plus sûrement encore dans les abîmes de la mort.

Les dents gâtées de la Syrie, on les trouve dans les écoles où l'on apprend à la jeunesse d'aujourd'hui à devenir la tristesse de demain. Et dans les cours de

Justice où les juges déforment la loi et jouent avec elle comme le tigre joue avec sa proie. Et dans les palais, où prévalent l'hypocrisie et la fausseté. Et dans les huttes des pauvres où vivent la peur, l'ignorance et la lâcheté.

Les dentistes politiques aux doigts tendres versent du miel dans les oreilles du peuple. Ils clament qu'ils obturent les crevasses de la faiblesse du pays. Ils entonnent un chant qui doit résonner plus fort que le son d'une meule à grains, mais en vérité, il n'est pas plus noble que le croassement des grenouilles dans un marais stagnant.

Nombreux sont les penseurs et les idéalistes dans ce monde vide... Mais comme leurs rêves sont inconsistants!

* * * * *

La beauté appartient à la jeunesse, mais la jeunesse pour laquelle cette terre a été faite n'est qu'un rêve dont la douceur est l'esclave d'un aveuglement qui rend sa conscience trop tardive. Le jour viendra-t-il jamais où les sages réuniront les doux rêves de la jeunesse aux joies de la connaissance? Personne n'est rien dans une existence solitaire. Le jour viendra-t-il jamais où la Nature sera le professeur de l'homme, l'Humanité son livre de prières et la Vie son école quotidienne?

La recherche du bonheur par la jeunesse - compétente dans ses transports et prudente dans sa responsabilité - ne pourra trouver son accomplissement que lorsque la connaissance aura proclamé l'aube de ce jour.

Nombreux sont les hommes qui maudissent avec des mots pleins de venin les jours perdus de leur jeunesse. Nombreuses sont les femmes qui détestent leurs années gâchées avec la fureur d'une lionne qui a perdu ses petits. Et nombreux sont les jeunes gens et les jeunes filles qui n'utilisent leurs coeurs que comme fourreaux pour les dagues des amers souvenirs du futur et qui se blessent par ignorance avec les flèches acérées et empoisonnées du bonheur dont ils se détournent.

La vieillesse est la neige de la terre. Par la lumière et la vérité, elle doit apporter sa chaleur aux semences de la jeunesse qui sont dessous, elle doit les protéger pour qu'elles remplissent leur rôle jusqu'à ce que Nisan vienne et complète par un nouveau réveil la pure vie de la jeunesse en pleine croissance.

Nous marchons trop lentement vers le réveil de notre élévation spirituelle. Et seule cette surface, aussi infinie que le firmament, peut comprendre la beauté de l'existence à travers notre affection et notre amour pour elle.

* * * * *

Le destin m'a charrié sur le pénible courant de l'étroite civilisation moderne. Il m'a arraché aux bras de la Nature dans sa fraîche tonnelle verte pour me jeter rudement sous les pas des foules où je suis devenu la proie souffrante des tortures de la ville.

Aucune punition plus dure n'a frappé un enfant de Dieu. Aucun exil plus sévère n'a été le lot de quelqu'un qui aime un brin d'herbe de la terre avec une telle ferveur que chaque fibre de son être en tremble. Aucune détention imposée à un criminel ne peut se comparer en étroitesse aux misères de mon emprisonnement, car les murs resserrés de ma cellule me meurtrissent le coeur.

Nous pouvons être plus riches en or que les villageois, mais ils sont infiniment plus riches que nous dans la plénitude de l'existence véritable. Nous semons en abondance, mais nous ne récoltons rien. Eux récoltent les glorieux bienfaits accordés par la Nature aux zélés enfants de Dieu. Nous calculons chaque échange avec

ruse. Eux prennent les produits de la Nature, honnête-
ment et paisiblement. Nous dormons par à-coups et
nous voyons les spectres du matin. Eux dorment comme
un enfant sur le sein de sa mère, sachant que la Nature
ne leur refusera jamais ce qu'elle a l'habitude
d'accorder.

Nous sommes les esclaves du profit. Eux sont les
maîtres de la joie satisfaite. Nous buvons l'amertume, le
désespoir, la crainte et la lassitude à la coupe de la vie.
Eux boivent le pur nectar des bienfaits de Dieu.

Oh, toi qui donnes la Grâce, Toi qui m'es caché par
les édifices de la multitude qui ne sont que des idoles et
des images... écoute les cris angoissés de mon âme
prisonnière! Écoute les affres de mon coeur qui éclate!
Aie pitié de moi, et renvoie ton enfant égaré au pied de
la montagne qui est Ta construction.

LE CORTÈGE

INTRODUCTION

Le motif pour lequel Gibran écrivit cette oeuvre est à rechercher dans ses efforts incessants pour analyser la société humaine, ses lois, ses règles et ses coutumes. Gibran voit dans la société une fausseté généralisée qui détourne les gens de la vérité, qui élève certaines personnes et qui en humilie d'autres. Il déclare sous forme d'avertissement qu'aucun individu ne peut jouir de la plénitude de l'existence ni profiter des bontés de la Nature si son semblable poursuit ses propres objectifs avec cupidité.

Pour illustrer son propos, Gibran a imaginé deux personnages métaphoriques. Le premier est *Le Vieillard* représenté par un vieil homme courbé qui vit dans la cité et qui souffre des lois humaines, des traditions, des hérédités et de la corruption. Il est las de l'étouffante clameur de la ville et il part pour la campagne afin de calmer ses mains tremblantes et de méditer. Là, il rencontre *Le Jeune Homme,* représenté par un beau et robuste adolescent dont les yeux ne connaissent que les arbres, les montagnes et les rivières, dont le corps n'a respiré que l'air pur, et dont les oreilles n'ont entendu que le murmure des rivières et le chant des oiseaux, et le sifflement du vent dans les feuilles d'automne.

Au cours de cette rencontre, *Le Jeune Homme* tient une flûte à la main et s'apprête à saluer la Nature de son éternelle mélodie des grands espaces. *Le Jeune Homme* et *Le Vieillard* discutent en toute liberté de leurs conceptions respectives de l'existence. *Le Vieillard* affirme que la société humaine n'a su créer dans la ville que le mal et la misère, tandis que *Le Jeune Homme* prétend qu'on ne peut trouver le vrai plaisir et la vraie satisfaction du coeur qu'en vivant au plus près de la Nature. Le coeur se remplit ainsi à pleins bords des simples joies que Dieu lui offre.

Ce débat entre *Le Jeune Homme* et *Le Vieillard* nous révèle les conceptions de Gibran sur la vie, la mort et la religion. Il ne propose pas que tout le monde abandonne les villes pour la campagne ou la montagne, mais il tente d'attirer l'attention sur une simple formule de vie meilleure, il incite les gens à se libérer des chaînes grinçantes de la société et de profiter au plus haut degré possible de la liberté naturelle et de la tranquillité de l'existence rurale. La campagne que décrit Gibran symbolise la vie riche et salubre que connaît celui qui habite tout près de la terre.

En raison du caractère nébuleux et intraduisible de la langue arabe, ce poème scénique est appelé aussi *La Procession* ou *La Cavalcade*. En considérant la tristesse que Gibran a mise dans ce texte, le traducteur de l'Arabe a estimé que *Le Cortège* est un titre qui correspond mieux aux intentions de l'auteur.

La même imprécision, inhérente à l'Arabe, a exigé que l'on s'écarte parfois d'une stricte traduction de manière à conserver intact le puissant message de Gibran.

* * * * *

Le Vieillard: En vérité, l'homme ne commet pas
Que de bonnes actions
Mais lorsque l'homme s'en va, le mal
Ne meurt pas avec lui. Comme la roue qui tourne
Nous sommes contrôlés par les mains
Du Temps, où que l'homme réside. Ne dites pas
«Cet homme est renommé ou savant, ou
Maître du Savoir envoyé par les
Anges», car dans la cité, le meilleur des
Hommes n'est qu'un membre du troupeau, guidé
Par la voix forte du berger. Et celui qui
N'obéit pas aux ordres devra bientôt
Comparaître devant ses meurtriers.

Le Jeune Homme: Il n'y a pas de berger pour l'homme
Dans la belle campagne, ni de brebis
Qui paissent, ni de coeurs qui saignent. L'hiver
S'éloigne avec son vêtement et le Printemps
Viendra, mais seulement sur l'ordre formel
De Dieu. Votre peuple est né esclave
Et son âme est déchirée
Par vos tyrans. Où qu'aille le Chef,
Ils suivent, oui, ils suivent, et malheur
À celui qui refuse d'obéir!
Donne-moi la flûte, que je chante,
Et que la musique résonne à travers mon âme!
Le chant de la flûte est plus sublime
Que toute la gloire des Rois de tous les temps.

Le Vieillard: La vie parmi la foule n'est qu'un bref
    Sommeil de drogué, mêlé
    De rêves insensés, de spectres et de crainte.
    Le secret du coeur est enfermé
    Dans la tristesse et ce n'est que dans la tristesse
    Que nous trouvons notre joie, alors que le bonheur
    Ne sert qu'à cacher le profond mystère de la vie.
    Si je devais abandonner le chagrin
    Pour le calme de la campagne, le néant seul
    Serait mon lot.

Le Jeune Homme: La joie de l'un est la tristesse
    De l'autre, et il n'y a pas de chagrin
    Dans la belle campagne, ni de tristesse
    Provoquée par des faits méprisables. La brise
    Folâtre apporte la joie aux coeurs tristes,
    Et le chagrin du coeur n'est qu'un
    Rêve imaginaire qui passe très vite comme
    Le rapide ruisseau. À la campagne, ton chagrin
    S'évanouira comme la feuille d'automne
    Est rejetée vers le front du ruisseau, et ton
    Coeur s'apaisera comme le lac immense
    Est calme sous la grande lumière de Dieu.
    Donne-moi la flûte, que je chante
    Et que la musique résonne à travers mon âme!
    Seule la mélodie du Ciel demeurera éternelle.
    Tous les objets de la terre sont vains.

Le Vieillard: Peu de gens sont satisfaits
    De la vie et exempts
    De soucis. La rivière de la campagne
    Ne transporte que le néant. La rivière
    De la vie humaine a été répartie en vieilles
    Coupes de savoir et présentée à l'homme
    Qui boit la richesse de la vie, mais ne prend

Pas garde à ses avertissements. Il est joyeux
Lorsque les coupes sont heureuses, mais il
bougonne
Quand il prie Dieu et réclame une
Richesse qu'il ne mérite guère. Et lorsqu'il
Atteint son but d'une richesse d'airain,
Ses rêves d'effroi le rendent esclave pour toujours.
Ce monde n'est qu'un débit de vin dont
Le propriétaire est le Temps, et les ivrognes
Exigent beaucoup en offrant peu.

Le Jeune Homme: Il n'y a pas de vin dans la belle
    Campagne, car la glorieuse ivresse
    De l'âme est la récompense de tous ceux
    Qui la cherchent au sein de la Nature. Le
    Nuage qui cache la lune doit être
    Déchiré avec vigueur si l'on veut
    Observer sa lumière. Les gens
    De la ville abusent du vin du Temps,
    Car ils y pensent comme à un temple,
    Ils en boivent facilement et
    Sans réfléchir et il fuient en
    Courant vers la vieillesse avec un chagrin
    Profond mais inconscient.
    Donne-moi la flûte, que je chante,
    Et que la musique résonne à travers mon âme!
    Le chant de Dieu doit subsister pour toujours,
    Tout le reste doit s'effacer.

Le Vieillard: Pour l'homme, la religion est
    Comme ton champ;
    Car elle est plantée d'espoir et
    Cultivée par les fidèles. Ou elle est entretenue
    Par l'ignorant tremblant
    Qui craint les feux de l'enfer. Ou elle est

Semée par les forts qui sont riches
D'or vain et qui considèrent la religion
Comme une sorte de troc, en cherchant
Leur profit dans une récompense terrestre. Mais
Leurs coeurs sont perdus en dépit de
Leurs battements, et les produits de leur
Agriculture spirituelle ne sont
Que les mauvaises herbes de la vallée.

Le Jeune Homme: Il n'y a pas de religion dans la divine
Et belle campagne, on n'y trouve pas d'hérétiques,
Pas de couleurs, pas de croyances, car lorsque
Le rossignol chante, tout est beauté et
Joie, et religion. L'esprit est
Apaisé et sa récompense est la paix.
Donne-moi la flûte, que je chante!
La prière est ma musique, l'amour est ma corde.
La flûte plaintive chantera sûrement
La misère de ceux qui sont enchaînés dans la ville.

Le Vieillard: Que signifient la justice et
Les lois de la terre
Qui nous font rire et pleurer? L'étroite
Cellule où la mort attend
Le criminel qui est faible ou pauvre. Mais
Les riches qui cachent leurs crimes
Derrière leur or, leur argent et leur gloire
héréditaire
Récoltent honneur et considération.

Le Jeune Homme: Tout est justice dans la
Campagne de la Nature.
Elle n'accorde à personne son dédain
Ou ses faveurs. Les arbres poussent chacun
À sa manière, mais lorsque la brise souffle

Allègrement, tous se balancent. La Justice
À la campagne est comme la neige, car elle
Recouvre toutes choses, et lorsque le soleil
Paraît, toutes choses émergent
En force, en beauté et en parfum.
Donne-moi la flûte, que je chante,
Car la chanson de Dieu, c'est tout!
La vérité de la flûte subsistera toujours
Alors que les crimes et les hommes ne sont que
dédain.

Le Vieillard: Les gens de la ville sont pris
Dans la toile du tyran, de plus en plus
Furieux à mesure qu'il vieillit. Il règne
Une odeur dans l'antre du lion, et que
Le lion soit présent ou non, le renard
Ne s'approchera pas. L'étourneau est timide
Quand il parcourt l'infini, mais
L'aigle est fier, même lorsqu'il meurt.
Seule la force de l'esprit est
La puissance des puissances et elle doit,
Le temps venu, réduire en poussière tout ce qui
S'oppose à elle. Ne condamne pas les gens
De peu de foi, leur faiblesse, leur
Ignorance et leur néant, mais aie pitié d'eux

Le Jeune Homme: La campagne ne connaît ni les faibles
Ni les forts, car pour la Nature, tous sont un
Et tous sont forts. Lorsque le lion
Rugit, la campagne ne dit pas: «Quel
Terrible Fauve! Fuyons!» L'ombre de l'homme
Passe rapidement au cours de sa brève
Et triste visite sur la terre,
Et se repose dans le vaste firmament
De la pensée, qui est la campagne du ciel.

Et comme les feuilles d'automne qui tombent
Vers le coeur de la terre, tous doivent réapparaître
Dans le grand printemps de la jeunesse aux
couleurs vives,
Belle dans sa renaissance. Et la feuille
De l'arbre se développera en une vie fertile
Après que les objets matériels de l'homme
Se seront évanouis en vapeur et en oubli.
Donne-moi la flûte, que je chante,
Car mon chant produira la force de l'âme!
On chérira longtemps la flûte céleste
Mais l'homme et sa cupidité périront bientôt.

Le Vieillard: C'est de sa propre main que
L'homme est faible
Car il a refaçonné la loi de Dieu selon
Son étroite manière de vivre, s'enchaînant
Lui-même dans les rudes fers
Des règles de la société qu'il a voulue. Et
Il refuse obstinément de voir
L'immense tragédie qu'il a provoquée
Pour lui, pour ses enfants et pour leurs fils.
L'homme a construit sur cette terre une prison
De querelles dont il ne peut plus
S'échapper, et la misère est son sort volontaire.

Le Jeune Homme: Pour la Nature, tous sont vivants,
Et tous sont
Libres. La gloire terrestre de l'homme est un
Rêve creux qui s'évanouit avec les bulles
Dans la rivière caillouteuse. Lorsque l'amandier
Répand ses fleurs sur les petites plantes
Qui poussent sous lui, il ne dit pas:
«Que je suis riche! Comme elles sont pauvres!»
Donne-moi la flûte, que je chante,

Et que la musique résonne à travers mon âme!
La mélodie de Dieu ne s'éteindra jamais
Alors que sur cette terre, tout est vain.

Le Vieillard: La gentillesse des gens n'est qu'une
Coquille vide qui ne contient ni pierre précieuse
Ni perle. Les gens vivent avec
Deux coeurs: l'un, petit, d'une profonde
Douceur, un autre d'acier. Et la
Gentillesse est trop souvent un bouclier
Et la générosité, trop souvent un glaive.

Le Jeune Homme: La campagne n'a qu'un
Seul grand coeur.
Le saule vit près du chêne et
Ne craint ni sa force
Ni sa taille. Et la roue du paon
Est magnifique à regarder, mais le
Paon ne sait pas si c'est
Un objet de beauté ou de laideur
Donne-moi la flûte, que je chante
Et que la musique soit l'hymne de ceux qui sont
doux,
Et elle sera plus puissante que les forts et les faibles.

Le Vieillard: Les gens de la ville feignent d'être
Sages et savants, mais leur
Imagination reste fausse à jamais
Car ils ne sont experts qu'en imitation.
Ils sont fiers de pouvoir calculer
Qu'un troc n'a rapporté ni perte
Ni gain. L'idiot s'imagine
Qu'il est roi, et qu'aucune puissance
Ne peut altérer ses pensées et ses rêves.
Le fou plein de fierté prend son miroir

Pour le ciel, et son ombre pour une
Lune qui brille tout là-haut
Dans le firmament.

Le Jeune Homme: Les gens de la campagne
Ne sont ni beaux
Ni astucieux, car la Nature n'a pas
Besoin de beauté ou de douceur. La
Rivière qui coule est un doux nectar,
Et lorsqu'elle s'élargit et se calme,
Elle ne reflète que sa propre vérité
Et celle de ses voisins.
Donne-moi la flûte, que je chante,
Et que la musique résonne à travers mon âme!
La flûte plaintive est plus divine
Que la coupe d'or pleine d'un vin rouge et profond.

Le Vieillard: La sorte d'amour pour laquelle l'homme
Combat et meurt est comme le
Buisson qui ne porte pas de fruits. Seul
L'amour salutaire, comme
L'énorme chagrin de l'âme, allègera
Le coeur et le mènera à la
Compréhension. Lorsqu'on le trompe, il
Devient le pourvoyeur de la misère,
Le présage du danger et le sombre nuage
De l'obscurité. Si l'humanité devait
Conduire la cavalcade de l'amour
Vers un lit de mobiles inconstants, alors
L'amour refuserait d'y habiter. L'amour
Est un bel oiseau, attendant qu'on le capture
Mais refusant d'être blessé.

Le Jeune Homme: La campagne ne combat pas
    Pour conquérir
    Le trône de l'amour, car l'amour et
    La beauté y habitent à jamais dans la paix
    Et la bonté. L'amour, lorsqu'on cherche
    À le découvrir, est un malaise
    Entre la peau et les os,
    Et c'est seulement quand la jeunesse est passée
    Que la douleur apporte une connaissance
    Pleine de richesse et de chagrin.
    Donne-moi la flûte, que je chante,
    Et que la musique résonne à travers mon âme!
    Car le chant est la bras de l'amour
    Qui descend en beauté des hauteurs de Dieu.

Le Vieillard: Le jeune homme, visité par un
    Grand amour à travers la vérité de
    La lumière céleste, et chez qui la soif
    Et la faim se déchaînent pour protéger cet amour,
    Est le vrai fils de Dieu. Et pourtant,
    Les gens disent: «Il est fou! Il
    Ne profite pas de l'amour, l'objet
    De son amour est loin d'être beau, et
    Sa douleur et sa tristesse ne lui rapportent rien!»
    Ayez pitié de ces ignorants! Leurs esprits
    Étaient morts avant même d'être nés
    Sur le lit de douleur!

Le Jeune Homme: À la campagne,
    Il n'est personne pour surveiller
    Ou pour blâmer, et la Nature ne retient
    Aucun secret
    Par devers elle. Le soir, la gazelle
    Bondit joyeusement, et jamais l'Aigle
    Ne sourit ou ne fronce les sourcils.

Mais tout ce qui se passe à la campagne
S'entend, se sait et se voit.
Donne-moi la flûte, que je chante,
Et que la musique résonne à travers mon âme!
Car la musique est la félicité du coeur,
Une joie venue du ciel, un baiser donné par Dieu.

Le Vieillard: Nous oublions la grandeur de
L'envahisseur pour ne retenir que sa fureur
Et sa folie. Par le coeur d'Alexandre
La concupiscence s'est fortifiée
Et l'ignorance a été vaincue par
L'âme de Kais. Le triomphe
D'Alexandre ne fut qu'une défaite.
La torture de Kais fut un triomphe
Et une gloire. C'est par l'esprit,
Non par le corps, que l'amour doit se manifester,
De même que le vin est pressé
Pour vivifier et non pour assoupir.

Le Jeune Homme: Les souvenirs de l'amant planent
Sur la campagne, mais les actes d'un
Tyran ne méritent pas une pensée,
Car son crime est inscrit
Dans le livre de l'Histoire. Pour l'amour,
L'existence toute entière est un éternel écrin.
Donne-moi la flûte, que je chante,
Et que la musique résonne à travers mon âme!
Oublie la cruauté des forts.
Tout n'appartient qu'à la Nature.
Les lys servent de coupes à la rosée,
Non au sang ou à des nouvelles potions.

La Vieillard: Le bonheur sur cette terre
    N'est qu'un fantôme
    Passager et fuyant que l'homme convoite
    À n'importe quel prix d'or ou de temps.
    Et lorsque le fantôme devient
    Réalité, l'homme s'en fatigue bientôt.
    La rivière court comme un étalon
    Au galop qui tournoye sur la plaine
    Dans un nuage de poussière. L'homme cherche
    À obtenir de son corps les fruits
    Défendus. Et lorsqu'il les a obtenus,
    Le désir s'en va. Lorsque tu
    Considères un homme qui se détourne
    Du fruit défendu pour ne pas
    En attirer sur lui le crime sans fond,
    Lance-lui un regard d'amour,
    Car il protège Dieu en lui.

Le Jeune Homme: La belle campagne est vide et nette
    D'espoir et de souci. Elle ne s'intéresse
    Pas au désir, et ne convoite
    Aucune partie de rien, car le Dieu
    Tout-Puissant lui a tout donné.
    Donne-moi la flûte, que je chante,
    Et que la musique résonne à travers mon âme!
    Chanter, c'est aimer, espérer, désirer.
    La flûte plaintive est la lumière et le feu.

Le Vieillard: Les desseins de l'esprit sont cachés
    Dans le coeur, et ne peuvent être
    Jugés par l'aspect extérieur. On dit
    Souvent: «Lorsque l'âme a atteint
    Sa perfection, elle doit
    Se séparer de la vie, car si
    Elle était un fruit, elle devrait,

Une fois mûre, tomber de l'arbre.
Par la force du vent de Dieu.» Un
Autre ajoute: «Lorsque le corps se repose
Dans la mort, l'âme le quitte,
Comme l'ombre s'évanouit sur le lac
Lorsque l'étouffante chaleur en a séché le lit.»
Mais l'esprit n'est pas né pour
Périr mais pour se développer et prospérer
À jamais. Car même lorsque souffle
Le vent du Nord et qu'il abat la fleur
Au sol, le vent du sud viendra
Lui rendre sa beauté.

Le Jeune Homme: La campagne ne distingue pas
            Le corps de l'âme. La mer,
            Le brouillard, la rosée et la brume
            Ne sont qu'un, qu'il fasse nuageux
            Ou clair.
            Donne-moi la flûte, que je chante,
            Et que la musique résonne à travers mon âme!
            Car la musique, c'est le corps et l'âme tout entiers,
            Sortis des riches profondeurs du bol d'or.

Le Vieillard: Le corps est la matrice de la
            Tranquillité de l'âme, et elle y
            Demeure jusqu'à ce que naisse la lumière.
            L'âme est un embryon dans le corps de
            L'homme, et le jour de la mort est le
            Jour du réveil, car il est la grande
            Époque du labeur, et l'heure riche
            De la création. Mais la sécheresse de
            La cruauté accompagne l'homme et
            Elle empiète sur la fertilité des
            Pensées de l'âme. Que de fleurs sont
            Sans parfum depuis le jour

De leur naissance! Que de nuages
Vides de pluie se rassemblent dans le ciel
Et n'égouttent pas de perles!

Le Jeune Homme: Aucune âme n'est stérile
　　Dans la bonne
　　Campagne, et les intrus ne peuvent
　　Envahir notre paix. La semence que
　　La date mûre contient en son
　　Coeur est le secret du palmier
　　Depuis le commencement de toute
　　La création.
　　Donne-moi la flûte, que je chante,
　　Et que la musique résonne à travers mon âme!
　　Car la musique est un coeur qui se gonfle
　　D'amour et qui s'écoule comme la source.

Le Vieillard: La mort est une fin pour le fils
　　De la terre, mais pour l'âme, c'est
　　Un commencement, le triomphe de la vie.
　　Celui qui embrasse de ses yeux
　　Intérieurs l'aube de la vérité sera toujours
　　Extatique, comme le ruisseau qui murmure,
　　Mais celui qui s'assoupit dans la
　　Lumière du jour céleste devra périr
　　Dans l'éternelle obscurité qu'il aime.
　　Si quelqu'un s'accroche à la terre
　　Quand il est éveillé,
　　Et s'il caresse la Nature qui est
　　Proche de Dieu, alors cet enfant
　　De Dieu traversera la vallée de la mort
　　Comme s'il ne franchissait
　　Qu'une étroite rivière.

Le Jeune Homme: Il n'y a pas de morts dans la bonne
          Campagne, ni de tombes pour les enterrer,
          Ni de prières à réciter. Lorsque Nisan
          S'en va, la joie continue
          À vivre, car la mort n'enlève
          Que le contact, et non la conscience
          De tout ce qui est bon. Et celui qui a vécu
          Un printemps ou plus possède
          La même vie spirituelle que celui
          Qui a vécu vingt printemps.
          Donne-moi la flûte, que je chante,
          Et que la musique résonne à travers mon âme!
          Car la musique ouvre le secret de la vie,
          Apporte la paix et abolit les conflits.

Le Vieillard: La campagne a beaucoup de choses, et
          L'homme en a peu.
          L'homme est l'esprit de son
          Créateur sur la terre, et tout ce qui est
          De la campagne est fait pour lui, mais il
          A choisi de fuir le proche amour et la
          Beauté de Dieu qu'est
          La magnifique campagne.

Le Jeune Homme: Donne-moi la flûte, que je chante!
          Oublie ce que nous avons dit de tout cela.
          La parole n'est que poussière. Elle tache
          L'éther et se perd dans le vaste
          Firmament. Qu'as-tu fait qui soit
          Bien? Pourquoi n'adoptes-tu pas
          La campagne comme refuge céleste? Pourquoi
          Ne désertes-tu pas les palais
          De la bruyante cité pour escalader les collines et
          Pour poursuivre la rivière, pour respirer
          Les parfums, pour t'ébattre dans le soleil?

Pourquoi ne bois-tu pas le vin de l'aube
Dans la grande coupe de la sagesse,
Et ne pèses-tu pas
Les grappes de fruits délicats de la
Vigne qui pendent comme des chandeliers d'or?
Pourquoi ne te façonnes-tu pas une couverture
Dans le ciel infini, et un lit de fleurs
D'où tu pourras contempler le pays
De Dieu? Pourquoi ne renonces-tu pas au
Futur et n'oublies-tu pas le passé? Ne désires-tu
Pas vivre puisque tu es né
Pour vivre?

* * * * *

Chasse ta misère et quitte tous
Les biens matériels, car la société
N'est rien d'autre que clameurs, deuils
Et conflits. Elle n'est qu'une toile
D'araignée, qu'une galerie de taupe.
La Nature te saluera comme l'un
Des siens, et tout ce qui est bon
Existera pour toi. L'enfant de
La campagne est l'enfant de Dieu.

Le Vieillard: Habiter la campagne est mon espoir,
Mon aspiration et mon désir et
Je soupire après cette vie de beauté
Et de paix. Mais la dure volonté du destin
M'a déposé dans le giron de la
Ville, et l'homme possède une destinée
Qui guide ses pensées, ses
Actes et ses paroles, et comme si
Ce n'était pas suffisant, dirige ses pas
Vers un lieu où il ne désire pas habiter.

FIN